為什麼要拋棄我？

日本「嬰兒信箱」十年紀實

NHK採訪團隊——著
陳令嫻——譯

なぜ、わが子を棄てるのか「赤ちゃんポスト」10年の真実

台灣通勤第一品牌　李毅誠

在我成為父母後，每天都從寶寶身上學到各種不曾思考過的日常。

以前我看著種種案例，心裡應該會想著：「如果負不起責任那幹嘛要這樣做」，但現在的我完全明白，只是因為置身事外，所以可以事不關己的說出這句話。隨著每個個案的故事累積，也印證了我從寶寶身上學到的事情：寶寶需要的是愛，但不一定要是父母的愛。

相信很多人都會認同，令人痛心的悲劇在發生之前是一連串錯誤抉擇的累積，如果中間能有任何一個人伸出援手，那也許就不需要付出如此大的代價。

雖說，社會對於性別意識的平權還尚有進步空間，對於各種不同的選擇也都應該去聆聽理解。這本書中討論到嬰兒信箱有許多可改進的建設性意見，但我心裡想的也僅僅是那就大家一起努力改進吧。

只要能讓一個生命受到更妥善的照顧與愛，那就夠了。

很幸運為人父親的我，可以看到這本書。

法務部人權委員會委員　林志潔教授

「拯救生育過程中的兩個弱勢」

熊本的慈惠醫院以一間宗教性質的民營醫院，擔起了拯救生命的責任。十多年前，慈惠醫院設置了嬰兒信箱（無力扶養嬰兒的父母可將嬰兒送到此處），本書從不同面向探討嬰兒信箱設置十年後的發展、各種案例、以及反省了日本欠缺多元化支援體系，對弱勢生育婦女造成的壓迫。

女性在生育過程中，獨自承擔生產的高風險、無力養育而可能面對的遺棄責任，以及來自社會的不諒解和道德譴責。

在嬰兒信箱的絕大多數案例中，嬰兒的生父都是置身事外，孤立無援甚至連產檢都不敢做的母親，以走投無路來形容也不為過。

雖然，如果只有嬰兒信箱這個選項，依然可能發生悲劇（如書中所呈現的案例，無依無助的母親為了將嬰兒送進信箱，又不願讓其他人知道她未婚懷孕，只能冒險到信箱附近獨自生產，差點喪命），但如果連嬰兒信箱都沒有，案例中的母親說：那她可能直接就去自殺了。因此，嬰兒信箱拯救了小生命，也拯救了社會底層的弱勢母親。

生和育幾乎是女性的生命中最大挑戰和選擇，如果少子化被認為是一個國安層級的人口問題，政府介入的方式就不該僅是限縮人工流產的範圍、限制婦女生育的自主權、或者純粹將球丟給民間。嬰兒信箱雖然為遺棄或墮胎創造了一個不同的可能，但是對於被遺棄嬰兒的保育、對於父權結構對女性造成的壓迫、以及對於很多非自願懷孕但卻處於社會弱勢的保護，欠缺完整的扶助和支援系統，才是政府和民間都應該一起努力的課題。

提高生育的意願，要從理解和傾聽女性的聲音做起，嬰兒信箱是起點而非終點。

台灣法律資訊中心主任　施慧玲教授

日本的「嬰兒信箱」，代表什麼樣的人權保障理念？在一個超高齡社會，新生命的降臨本應伴隨無限祝福，卻因難以啟齒的不得已，讓一個母親丟棄孩子？！本書從「生命的拋棄與拯救」出發，探究每個「不得已」的個人及社會結構因素，隨而傾聽孩子從被丟棄，到機構安置、寄養收養，在自我認同到身分確認間的無助吶喊。「嬰兒信箱」本應提供棄嬰的「社會搖籃」，褪去汙名化，給孩子幸福成長的機會，實則有諸多困難！本書用最真實的生命故事，佐以理性的分析、感性的筆觸，省思並且展望「嬰兒信箱」的存在必要與優化可能。

台灣醫療改革基金會董事長　劉淑瓊教授

根據兒童權利公約（CRC），兒童有生存及發展權。「嬰兒信箱」是選項之一，不是唯一。台灣標舉人權立國，我們有責任盡一切可能，讓孩子得到他們該有的照顧，過上他們該過的生活，這本書呈現日本想方設法讓孩子活下來、活得好，各種價值辯證細緻精彩，值得推薦。

目錄

第一章

第二章 走投無路的女人，自私自利的男人——83

案例②

舞（二十多歲）男方要求墮胎，最後選擇成為單親媽媽

案例③

文乃（二十多歲）使用嬰兒信箱的理由是男方拒絕接受孩子

第三章 生大於養？養大於生？——121

第四章 誰來協助孤立無援的母親？——151

序章

日本唯一一處嬰兒信箱

遭到拋棄的一百三十條生命

熊本市慈惠醫院成立的「送子鳥搖籃」，俗稱「嬰兒信箱（下文有時簡稱『信箱』）」是全日本唯一一處「遺棄」孩子也不會追究法律責任的地方。

當初成立的目的是為了拯救兒童生命，以免因為墮胎、放棄育兒或是遭到遺棄而犧牲。二〇一七年五月迎向十週年。

這個設施佇立於醫院人煙稀少的角落，打從啟用以來一直爭議不斷，贊成的一方認為是「救人一命」，反對的一方認為是「助長棄嬰風潮」。當時我在NHK熊本電視台擔任記者一職，記得自己採訪和報導時心情十分複雜。

之後出現電視連續劇以慈惠醫院為舞台，以醫師與護理師平日犧牲奉獻的劇情因而聲名大噪。社會大眾不僅口頭表達感動與稱讚院方，還捐贈了大筆金錢。

慈惠醫院是由天主教傳教士在一八九八年成立。

這十年來，嬰兒信箱一共收容了一百三十個孩子。

你覺得這個數字是多還是少呢？

本書的主旨不是介紹醫院的活動，也不是要責備意外懷孕和在育兒路上遇到困難的父母。

採訪團隊希望透過長期的訪問，揭露日本唯一一處嬰兒信箱所發現的真相，與所有讀者共享這個社會面臨的多項課題。

本書主軸為二個電視節目，一是電視節目《今日焦點》在嬰兒信箱成立八年之後製作的〈交付給「嬰兒信箱」的生命——百名嬰兒日後的人生〉（二〇一五年四月）和該集播出兩年後由《今日焦點＋》製作的〈生我的爸爸媽媽在哪裡？——嬰兒信箱成立十年後〉（二〇一七年六月）。

採訪團隊想以不同於連續劇的角度分析嬰兒信箱的實際情況，於是去見了一位少年。

嬰兒信箱這種設施真的達成了「拯救孩子」這個使命嗎？

我們認為聆聽嬰兒信箱實際收容過的孩子親口說出的心聲，應該能幫助我們找到答案。

託付給嬰兒信箱的孩子

當年嬰兒信箱收容的幼兒，現在已經長成十多歲的少年了。

「為什麼要把我送進嬰兒信箱呢？」

他這句低聲呢喃和默默垂下的雙眸令人印象深刻。然而他當然不可能得知答案。

這是小翼（化名）第一次與採訪團隊見面，卻絲毫不畏縮怕生。相較於其他小學生，顯得少年老成。

寄養家庭的父母田中聰與洋子（皆化名）在一旁凝視小翼，眼神流露憂慮不安。

養父聰表示「我希望大家明白送來嬰兒信箱的小孩也能健全成長」，因此答應讓小翼接受訪問。這也是採訪團隊第一次與嬰兒信箱收容的孩子面對面。

我們事前準備好問題，在腦海中反覆複習，以免實際訪問時一不小心傷害到他。

我們依照約好的時間造訪田中家，大家都掩飾不住緊張的心情。田中夫妻親切地歡迎我們，並且喚來一名臉上還帶有稚氣的少年：「小翼，來跟大家打招呼。」他露出羞澀的微笑，對我們點頭打招呼：「你好。」

親眼目睹嬰兒信箱收容的孩子，我心頭湧上難以言喻的情感。

遇上寄養家庭

桌上事前擺了好幾本相簿，洋子依序翻開給我們看。光是看到這些相簿，就能明白田中夫妻是多麼疼愛小翼。

「這是我們第一次見到小翼時的照片。」

照片中的洋子手上抱著一個表情僵硬的小男孩，雙眼哭到紅腫。

當時根據《兒童福利法》設置的保護兒童單位「兒童諮詢所」聯絡田中夫妻：「你們要不要收養嬰兒信箱收容的孩子呢？」兩人坦承當初其實十分困惑。去見小翼那一天，一早便颳起冰冷的秋風。兩人忐忑不安地前往諮詢所，看到小翼不知為何緊捏著球鞋大哭。那是院方發現他時套在腳上的鞋子。聽看到小翼這副模樣，情不自禁抱住他：「沒事了，你不用擔心了……」

當時距離院方發現小翼已經過了五個月，正是開始認人，也就是會怕生的年紀。他或許察覺到環境發生變化，故意鬧彆扭來試探兩人。然而田中夫妻看到他，打從心底決定要一起保護這個孩子，不能拋下不管。

自豪的兒子

小翼花了一段時間才適應新環境。然而習慣之後自然流露笑容，也在不知不覺中叫起「爸爸、媽媽」。

「他從小就喜歡運動，每次賽跑都是第一名。也很會畫畫，常常幫忙做家事，真是值得我們自豪的寶貝兒子。」

相簿裡的照片依照時間排列得整整齊齊，從幼稚園的運動會、遠足、小學入學典禮、運動會到全家出門旅行等回憶都仔細保留了下來。這是田中翼的成長紀錄，如果那天沒被送來嬰兒信箱就不會出現的成長紀錄。

「見到他時，我們很驚訝居然真的有人會把小孩送去嬰兒信箱，也不知道該如何對待他。但是現在我們覺得能遇到他實在太好了，能收養到這個孩子真是太好了。因為我們現在已經是真的一家人了。」

聽說這句話時，溫柔地凝視小翼。

小翼記得一些自己被送到嬰兒信箱當天的過程。兩人知道這件事之後，決定要坦誠所有關於他來歷的資訊。例如他小時候是由安置機構收容；雖然彼此之間沒有血緣關係，卻是他們的寶貝兒子……配合成長階段，反覆以他能理解的方式解釋。每一次他提出疑問時，兩人總是仔細回答。

姓名、年齡、出生地皆不詳

其實小翼被送來嬰兒信箱時，身上沒有任何能證明身分的線索。因此院方不知道他的名字、年齡和來自哪裡，身邊只有一個印了人氣卡通人物的藍色背包。

小翼從自己房間的衣櫃拿出當年的背包給我們看。拉開拉鍊，裡面裝了好幾件穿舊的童裝T恤、褲子與運動服等衣物。

小翼把衣服一件件拿出來，小心翼翼地排列整齊，低聲呢喃：「我不記得自己穿過，可能是媽媽買給我的吧……」

儘管這些衣服並不高級，想必也是小翼的母親、父親或是身邊的人為他特別挑選的。

背包裡也裝了當年放進嬰兒信箱時穿的那雙白色球鞋，也就是第一次見到田中夫妻時握在手裡的那雙鞋。他輕輕伸出手，撫摸有些骯髒的鞋尖。

「我以為媽媽要來接我了，所以拿起這雙鞋。聽說我是聽到兒童諮詢所的人告訴我媽媽沒有來，所以才哭鬧起來。小時候我非常寂寞，總覺得為什麼爸爸媽媽要把我放進嬰兒信箱呢……」

「好險我是被送到嬰兒信箱」

嬰兒信箱收容的絕大多數是新生兒。然而熊本市政府公布的資料顯示有一定比例是六歲以下的幼兒，小翼也是其中一人。當時他已經是懂事的年紀。

他從書桌抽屜拿出一張畫給我看，畫上是一名戴眼鏡的男子牽著他。

小翼表示當天男子牽著他的手，帶他去坐新幹線。他不記得從車站到醫院的路程和交通工具，回過神來時，眼前已經出現一棟陌生的建築物。男子把他抱進一個狹窄的空間，靜靜關上門。他一個人被留在裡面，對方再也沒回來過。

一個人被拋棄在陌生的地方——這個記憶強烈打擊心靈，清晰刻畫在一個小小孩的海馬迴上。

這實在是非常殘酷的故事。

把自己被拋棄的瞬間刻畫在腦海裡，把腦海中的記憶畫下來以免忘記——小翼一輩子都得背負這個記憶活下去吧！

聽對我們說：「我們不能抹滅他被送到嬰兒信箱這個事實，但我希望能讓他覺得我們至今相處的時間，和今後一起創造的回憶都是無可取代的寶物。我相信這麼做能讓他接受自己的過去，邁向未來，而不是否定過往。」

活頁紙上畫了小翼被送到嬰兒信箱當天的情景。

可以的話，我不想問這個問題。但是不問的話，我不能走。

——你怎麼看待嬰兒信箱呢？

「如果我不是被送到嬰兒信箱，就不會遇到現在的爸媽，也不會來到這個家生活。所以好險我不是被丟在路上，而是被放進嬰兒信箱。」

洋子在小翼身邊聽到這句話，擱在大腿的手緊握住掌心中的手帕。

小翼每天吃得飽，睡得好。身邊還有大人有時會斥責他，有時也會任他撒嬌。正因為如此，他才能說出這句話：

「好險我是被放進嬰兒信箱。」

離開田中家之後，小翼這句話一直在我腦海中盤旋不去。

少年面對過去的人生

三年後的春天，我們再次拜訪田中家。

嬰兒遭人遺棄在置物櫃和公園等令人心痛的事件層出不窮，慈惠醫院認為不可等閒視之，因此成立嬰兒信箱來拯救兒童的生命。現在信箱即將成立滿十年。

我們在迎向十週年的此刻，著眼於嬰兒信箱的各類相關課題，透過節目向社會大眾提問：究竟該怎麼做才能拯救孩子？

小翼比起上次見面時長高不少，臉上的稚氣也消失殆盡。

「大概是進入青春期了，最近都不太跟我們講話。」

當聽對我們苦笑時，坐在身旁的小翼露出跟上次一樣青澀的微笑。

之前小翼願意接受採訪，是考量田中夫妻希望社會大眾知道，嬰兒信箱收容的孩子在溫暖的家庭中成長。

這次當我們再度邀請他接受採訪時，父親聰表示：「他雖然還只是個孩子，卻已經開始積極正視自己的過去。我想把是否接受採訪的決定權交給他。」

小翼已經到了能自己表達心情的年紀，他是懷抱何種心情接納自己的過去呢？我們表示想要再次採訪，聆聽他真正的心聲，他默默地點頭答應。開始採訪之前，我們提醒他：「不想回答的問題不用勉強開口。」

少年對於嬰兒信箱的想法

——從一個之前問過的問題開始，請問你怎麼看待嬰兒信箱呢？

嬰兒信箱大幅改變了我的人生。好險當初是被送進嬰兒信箱，我才能活到現在，享受普通的生活，有家人和朋友。我因此珍惜這些平凡的事物，也很高興自己感受到這些事物的可貴。

——被送進嬰兒信箱時會覺得「寂寞」嗎？

我到現在都還記得當時的情況。看不到家人和其他熟悉的面孔，我因此感到非常寂寞……

——你怎麼看待原生家庭呢？

他們把我送進嬰兒信箱，的確可以說是拋棄了我。但是在那之前，我想他們應該很用心照顧我才是。我很感謝他們不是把我隨便丟在路邊，而是送到有社會福利保障的地方。

——你在進入安置機構五個月之後遇到現在的父母，你覺得現在的生活如何呢？

我覺得這裡是「我家」，把他們當作真正的「爸爸媽媽」。

——所以你覺得彼此之間已經建立起「親子」關係了嗎？

雖然我們彼此沒有血緣關係，但是長期以來住在同一個屋簷下，吃一樣的飯菜，在同一個地方進入夢鄉。這種日子過久了，我也慢慢了解爸媽的心情，建立起像「普通家庭」的關係……每天有笑有淚，很有樂趣。

——你和新家庭愈來愈親密，但是生活上有沒有什麼煩惱呢？

有一次學校的功課是要做成長紀錄相簿，我沒有嬰兒時期的照片，只好用畫的。當時心中突然湧現疑問：我是從哪裡來的？真正的爸媽又是在哪裡呢？

——相信一定有其他小朋友跟你抱持一樣的煩惱與想法。

嬰兒信箱收容的其他小孩應該能夠了解我的心情。如果有其他小孩因此煩惱，我想告訴他不是只有他一個人這麼想而已。我想有些心情只有我們這些被送到嬰兒信箱的兒童才會懂，告訴社會大眾這些想法也是我們的責任，或該說是任務。

——由於嬰兒信箱採取匿名制，導致有些孩子不明白自己的來歷。你如何看待這件事呢？

我想大家長大之後，有時會想知道過去的事。生父母要是肯留下一張照片，我們會非常高興，也會很珍惜。和生父母在一起的時間也是人生的一部分，希望能為我們保留「活著的證據」。與養父母的回憶可以之後再打造，但是過去的日子卻不可能重來。所以我希望生父母能為我們留下一點紀錄。

——你將來想要從事什麼樣的工作呢？

我想去安置機構工作，傾聽和我一樣遭遇的小孩吐露煩惱，緩解大家的不安。我想告訴他們，他們不是孤單一個人。

節目收到各種回響

這是第一次有媒體實地採訪嬰兒信箱收容的孩子，因此《今日焦點》第一個介紹嬰兒信箱的專題節目〈交付給「嬰兒信箱」的生命——百名嬰兒日後的人生〉播放完畢之後收到許多觀眾來信。

少數聲音批評我們：「不要打擾當年嬰兒信箱收容的孩子。」

另一方面，也收到許多感想，表示透過小翼的回答，體會到嬰兒信箱的目的是拯救兒童的生命：「看到當年嬰兒信箱收容的孩子在新的家庭成長，不禁流下淚來。」、「我認為把小孩送到嬰兒信箱是很過分的行為，好險小孩是在充滿親情的環境下成長。」

第二個專題節目〈生我的爸爸媽媽在那裡？——嬰兒信箱成立十年後〉則是邀請到電影導演是枝裕和。是枝裕和拍攝的紀錄片與電影多半以家庭為主題，他在節目中表示：「小翼的『感謝』一詞意義深遠，而且他還表示不希望看到出現自己相同境遇的孩子，所以想去安置機構工作，聽了教人胸口一緊。」

面對主持人請教他「請問您如何看待慈惠醫院成立嬰兒信箱，這十年來接受家長匿名遺棄的兒童一事呢？」他的評語是「嬰兒信箱拯救了一百三十條性命，我認為是非常有意義的善行」。

和小翼有相同經驗的觀眾對於他的成長過程表示共鳴：「我也是在不知道親生父母的情況下由現在的養父母收養。雖然我和養父母過得很幸福，舉辦二分之一成人典禮（慶祝滿十歲的活動）時，必須在眾人面前講述自己的成長經歷，實在很痛苦。」、「我很懂自己畫小時候來取代照片的心情。」

另一方面，我們也收到許多懷疑匿名制的聲音：「就算活下來，不知道自己親生父母是誰，對孩子來說真的好嗎？」

嬰兒信箱的最大特徵正是匿名遺棄，也因此引來眾人議論紛紛，評價兩極。

是枝在節目尾聲提到「這些母親缺乏家庭與鄰里支援，對他們說『振作』無法解決任何問題。我認為政府預想的親子關係、家庭結構與現實情況差距過大。」

嬰兒信箱的另一頭

我想目前日本社會所面臨的問題正是因為如此。究竟該怎麼做才能保護兒童的生命與未來呢？我們嘗試從不同角度查證確認。

第一章敘述嬰兒信箱成立經過與實際案例。一家位於熊本的民間醫院認為不能輕忽兒童犧牲的事件，於是獨自著手成立嬰兒信箱。本章回顧決定開設時的輿論，以及介紹嬰兒信箱是如何收容與拯救兒童。

第二章聚焦於這些母親因為不想生或是不能養，而把孩子送到嬰兒信箱。她們決定把孩子送進嬰兒信箱的理由包羅萬象，從不得已到肆意妄為，應有盡有。同時著眼為何這些案例幾乎都不曾出現父親的身影。

日本的家庭結構日益多元化，因此第三章介紹「親權」、「寄養與收養家庭」等輿論應當熱烈討論的問題，並且徵詢專家的意見。

第四章比較德國與日本的現況。德國是整個社會一路摸索如何援助需要幫助的母親與兒童，日本的制度則是追不上現況。

終章分析熊本市政府在嬰兒信箱開設十年後的評鑑報告，重新思考信箱的意義與應當如何建立不需要信箱的社會。

此外，本書作者共三人。序章、第一章與終章是山室桃，第二章與第三章是熊谷百合子，第四章由竹內遙執筆。

為什麼要拋棄自己的親生孩子呢？

我們為了發掘這個問題的答案，持續不斷採訪。

第一章

生命如何遭到拋棄與拯救

名為「嬰兒信箱」的設施

慈惠醫院是一間以婦產科為主的綜合醫院，長期為當地居民提供醫療服務。

醫院的理事長蓮田太二在嬰兒信箱正式啟用的半年之前，也就是二〇〇六年十一月，發表成立嬰兒信箱的計畫。各家媒體紛紛報導這項創舉，引來眾人矚目。

蓮田之所以鼓起勇氣成立嬰兒信箱，是看到德國實際執行的情況。

德國的嬰兒信箱名為「Babyklappe」，意思是「嬰兒之門」，由教會與民間社福團體於二〇〇〇年成立啟用。打開門扇，映入眼簾的是一張小床，放進小床的兒童由設施人員收容。

德國成立嬰兒之門的理由與日本相同。當時由於棄兒事件頻傳。於是成立設施好匿名收容父母無法自行扶養的兒童。這項定位為「緊急避難措施」的設施逐漸普及至德國各地，現在約一百處。

蓮田構想在日本成立相同設施，因此前往德國參觀。參觀團隊中除了

「嬰兒信箱」參考德國的保護設施／柏木恭典提供

醫院相關人士，還包括提供孕婦諮詢窗口等援助婦幼的日本非政府組織員工等人。這個組織日後製作了一部影片，希望在日本推廣德國這項拯救兒童生命的設施。

由於把孩子放進去的部分看起來就像是個信箱，因此影片標題為《嬰兒信箱——德國與日本援助棄嬰的作法》。嬰兒信箱一詞因而普及，媒體也都使用此一名稱。

蓮田本人原本也使用「嬰兒信箱」這個名稱，後來考量兒童不是物品，不應以「信箱」稱呼收容的地點，因此在正式啟用前發表新名稱「送子鳥搖籃」。

《安徒生童話》中有一則故事是，俗稱送子鳥的東方白鸛把小嬰兒送給沒有孩子的女性。「送子鳥搖籃」這個名稱隱含蓮田的期盼——希望母子一同獲得幸福。

目前多數媒體依舊以「嬰兒信箱」稱呼慈惠醫院收容棄嬰的設施。成立初始有部分聲音批判媒體稱呼不當，負責定期評鑑[1]嬰兒信箱的「送子鳥搖籃專家委員會」也呼籲眾人使用正確名稱。

我明白慈惠醫院與專家委員會的用心，不過還是特意使用「嬰兒信箱」

1 譯注：評鑑報告共分四期：
「第一期」為二〇〇七年五月十日～二〇〇九年九月三十日，
「第二期」為二〇〇九年十月一日～二〇一一年九月三十日，
「第三期」為二〇一一年十月一日～二〇一四年三月三一日，
「第四期」為二〇一四年四月一日～二〇一七年三月三一日。

這個已經普及至社會角落的說法，懇請讀者見諒。

起源於民間醫院

慈惠醫院發表開設嬰兒信箱的構想後，花了半年時間準備。然而正式成立收容棄嬰的設施之前，卻得跨越好幾道高牆。首先是嬰兒信箱最大的特徵是「匿名遺棄」，因此陸續出現批判的聲音：「助長輕易棄子的風潮」、「剝奪兒童知其父母的權利」。

另一方面，院方表示「嬰兒信箱最主要的目的是拯救兒童生命」，反覆解釋正因為採取匿名制，一籌莫展的父母才會把孩子送過來。

不僅如此，輿論也懷疑父母匿名遺棄兒童是違法行為，例如構成「違背義務遺棄罪」或虐待兒童等等。院方為了成立嬰兒信箱而改建醫院，根據《醫療法》規定向熊本市政府提出申請。熊本市政府一方面尋求厚生勞動省[2]的意見，同時尋找證明嬰兒信箱合法的法源。

二〇〇七年四月，厚生勞動省表示建設嬰兒信箱本身「並未違反《醫

2 譯注：相當於台灣衛生福利部加勞動部。

療法》」，卻迴避發表關於開設營運的意見；熊本市政府也表示「沒有不允許的理由」准許開設，對於實際營運卻態度模糊曖昧：「熊本市政府僅承認改建醫院符合《醫療法》，並非同意成立『送子鳥搖籃』」。

五月十號，嬰兒信箱就在缺乏法源根據的情況下，由一家民間醫院獨自開設營運。

不僅是日本媒體，就連國外媒體也競相報導日本出現嬰兒信箱一事。登上媒體引發社會大眾再度矚目，重新討論成立的意義。

當時的日本首相安倍晉三批判嬰兒信箱，表示「絕不容許家長遺棄嬰兒。這是上天賜予的生命，不應該匿名拋棄子女」。

目前日本政府對於嬰兒信箱依舊堅持消極被動的態度，要求因為懷孕生育煩惱的家長向兒童諮詢所等公家窗口求助。

「致母親　我們會保密」

嬰兒信箱默默佇立於醫院角落，面對住宅區。穿過小門，走上斜坡便能抵達。這十年來，嬰兒信箱的位置隨著醫院成立新館而移動，然而外觀卻從未改變。

信箱門扇寬約六十公分，高約五十公分，上面畫了一對送子鳥搬運放在籃子裡的嬰兒。門扇旁邊設置看板與對講機按鈕，看板上寫著巨大字樣。

「給所有帶孩子來到這裡的母親，我們會為你保密。為了孩子的幸福，請在打開這扇門之前按鈴找我們聊聊。」

這是因為院方希望母親放棄養育孩子之前，「至少和我們商量看看」。嬰兒信箱有兩道門。打開第一道門，首先映入眼簾的是一封信。家長不拿起這封寫給他們的信，便無法打開第二道門。門扇上也寫著「請務必閱讀本信」字樣。

信中表示「我們隨時提供諮詢服務，歡迎聯絡」、「把孩子交給我們之後若是改變想法，也可以聯絡我們」，並且附上院方的聯絡方式。

拿起信，打開第二道門，出現在眼前的是保溫箱。這個保溫箱是為了收容的孩子特別打造，二十四小時都能保護他們的安全。裡面除了控制體

門旁邊的看板上還標示了諮詢窗口與兒童諮詢所的電話號碼。

溫的保溫器之外，還備有呼吸器等設備。

保溫箱上方安裝了監視攝影機，只要有人打開門，位於二樓婦產科的護理站便會亮起警示燈，鈴聲大作。一旦關上門便會自動上鎖，無法從外面打開。

在護理站的護理師聽到警鈴響起，第一步是查看攝影機拍到的兒童畫面，接下來馬上走向嬰兒信箱。從二樓走下螺旋逃生梯，不到一分鐘就能抵達目的地。打開信箱後先以聽診器確認心跳與呼吸聲，判斷健康狀態，同時聯絡醫師。

檢查完健康狀態後，以數位相機拍攝兒童的照片，記錄身上是否有受過虐待等痕跡。最後由婦產科病房暫時收容。

熊本市長負責為身分不明的兒童命名

慈惠醫院收容兒童之後，由醫師檢查或診療，並聯絡熊本市政府、兒童諮詢所與警察。倘若可能構成違背義務遺棄罪等事件，則會交由警方展開搜查。

《兒童福利法》認定嬰兒信箱收容的兒童為「需保護兒童」，安置於嬰兒之家或兒少家園。倘若日後透過兒童諮詢所找到寄養家庭，則委託寄養家庭照顧。

開設初始，部分民眾以為是由慈惠醫院負責撫養這些孩子，捐贈了大量的尿布和嬰兒用品。其實嬰兒信箱只是暫時收容兒童的設施，之後的流程和一般安置棄兒的方式相同，由嬰兒之家等安置機構負責養育。養育費用由熊本市政府支付，也就是使用民眾繳納的稅金。

倘若遭到遺棄的兒童是「身分不明兒」——完全不清楚姓名或出生地，也未曾報過戶口者，由發現地的政府首長命名，建立其個人的戶籍。因此嬰兒信箱收容的兒童是由熊本市長負責命名。

另一方面，若是兒童身上留有與地址、姓名等

收容後的流程

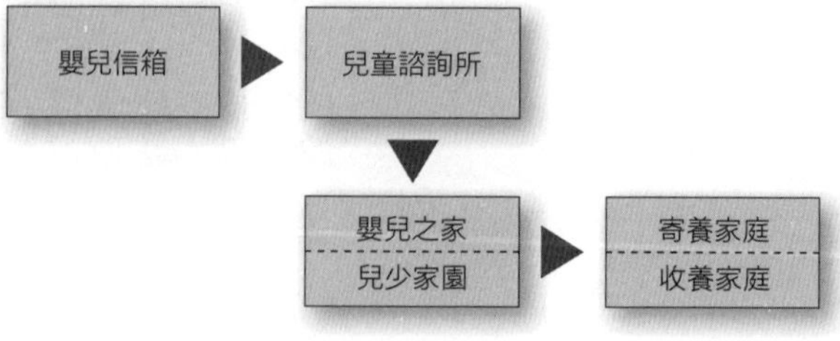

身分相關的線索，則由熊本市的兒童諮詢所負責調查。查明身分的案例移交戶籍所在地的地方政府管理，透過當地的兒童諮詢所安排至嬰兒之家等安置機構。

對於嬰兒信箱第一例的回響

嬰兒信箱啟用的第一天，理事長蓮田在啟用記者會上宣布他的決心：「我想把『送子鳥搖籃』打造成為了懷孕生育煩惱的象徵。把孩子交給我們是這些人的最後手段，原本是不應該走到這一步的。」

當記者提問預估會收容多少兒童時，蓮田表示：「我想一年不到一個人吧！」

在日本成立嬰兒信箱這項創舉吸引眾人矚目，當天參加記者會的媒體陣仗驚人。

當天上午記者會結束之後，下午嬰兒信箱正式啟用。開始後三小時便有人送來一名三歲男童，成為日後媒體大肆煽情報導的對象。

當時熊本市與院方以「必須保護兒童個資」為由，未曾公開兒童身分與相關資訊。NHK則是藉由採訪相關人士得知「男童約三～四歲，和貌似父親的男性從福岡一同來到熊本」。

男童身上沒有任何證明身分的線索，也沒有虐待的痕跡，身體健康。然而院方原本預估送來信箱的是新生兒或一歲以下的幼兒，這個「首例」完全出乎意料。

中央政府對於第一例的反應

中央政府的相關人士聽到第一例收容的是三歲男童，都因此多次批判嬰兒信箱。

例如當時的厚生勞動大臣柳澤伯夫對前來採訪的大批媒體表示：「嬰兒信箱雖然是由醫師成立的設施，還是不應該出現這種情況。但是既然發生了這種事，兒童諮詢所等兒童福利機構還是必須用心關懷該名兒童。」

另外，當時的少子化擔當大臣高市早苗則是批判遺棄男童的家長：

「希望男童的家長趕快出面或是向行政窗口諮詢。孩子生下來了，撫養他便是家長的責任，不應該隨意放棄為人父母的責任。」

嬰兒信箱收容男童一星期後，蓮田首次公開承認報導內容，表示「大受打擊，驚訝萬分」。

陸續出現案例

之後又陸續出現家長把孩子送到嬰兒信箱，完全超越院方當初的預測：「一年不到一個人吧！」

原本熊本縣政府、熊本市政府與院方並未公開收容詳情。情況曝光是由於媒體過度關注，紛紛報導來自相關人士的資訊所致。

啟用後一個月，NHK等各大媒體報導嬰兒信箱連續收容了三名兒童。採訪過程發現，有一個案例身上帶著應該是家長手寫的信，記載兒童姓名。

當時擔任熊本市嬰兒之家負責人的甲斐國英表示「必須重新思考如何

改善對於兒童與家長不友善的環境」，熊本市政府公布棄兒的背景，強調中央政府必須與地方政府攜手，一同思考如何援助走投無路的家長與遭到遺棄的兒童。

另一方面，東海大學九州教養教育中心教授山下雅彥，以教育學專家身分接受NHK採訪，表示應當公開家長決定把孩子送到嬰兒信箱的理由：

「我很驚訝嬰兒信箱開設沒多久便收容了三名兒童。這些家長真的是走投無路所以才把孩子送來的呢？還是因為嬰兒信箱啟用而降低了遺棄的門檻呢？單憑目前的資訊難以判斷，需要了解更多詳情以供評鑑。」

另一方面，中央政府的態度則是「家長無力撫養，可以前往公家機關的諮詢窗口求助」。

少子化擔當大臣高市也在記者會上重申「行政機關有許多援助對策可以協助大家。為人父母絕對不可以對自己的孩子置之不理。面臨困境時不該只想到遺棄或是殺人等最糟的選項」，並且再度呼籲把孩子送到嬰兒信箱的家長出面。

然而嬰兒信箱之後還是陸陸續續收容了好幾個孩子。

二〇〇七年八月，嬰兒信箱接到一名滿月左右的男嬰。約莫兩星期之後，疑似男嬰雙親的男女造訪嬰兒信箱，表示這是他們第五個孩子，要把他領回家。

兒童諮詢所從持有嬰兒信箱寫給家長的信，與說得出男嬰特徵的二件事斷定兩人是家長，讓他們把孩子領回去。這是嬰兒信箱開設以來，第一起家長把孩子領回家的案例。

開設一年後的評鑑報告

嬰兒信箱成立該年年底，也就是二〇〇七年十二月召開專家委員會評鑑營運狀況。

這個由熊本縣政府成立的委員會名為「送子鳥搖籃評鑑會議」，由兒童福利專家與律師等共八名成員所組成。成員定期聚會，針對各個案例是否確實保障兒童人權與健康交換意見。

熊本市政府於二〇〇八年五月二十日公開從開設當天到隔年三月底的十一個月之間，一共收容了「十七名」兒童。這一天是嬰兒信箱成立約一年以來，首次公開收容人數、兒童年齡與家長居住地點等詳情。

從家長留下來的信件與醫師診斷的結果得知，尚未滿月的新生兒共十四人，已滿月但不滿一歲的幼兒共二人，超過一歲但不到入學年齡的幼童一人。

另外診斷確定「需要治療」的兒童共二人，身上沒有遭到虐待的痕跡。得知父母等親屬居住地的兒童共九人，都是來自熊本縣以外的縣市。除此以外的八人「身分不明」。

查明身分者約莫半數，相關單位嘗試接觸家長。但是當時熊本市政府以「保護兒童隱私」為由，並未公開這些已經釐清的資訊。

開設一年以來，嬰兒信箱收容了來自全國各地的十七名嬰幼兒。蓮田在記者會上表示：

「『送子鳥搖籃』成立以來促進社會大眾了解，世上有為了懷孕生育煩惱的母親，對此貢獻良多。」

當時的熊本市市長幸山政史則表示「有些生命因為嬰兒信箱獲救，代表嬰兒信箱已經達成啟用初始設定的目的。收容的兒童來自全國各地，代表日本社會有這麼多人為了懷孕生育而煩惱。」，並且在記者會上提到已對中央政府提出要求，希望加強關於懷孕生育的諮詢體制。

另一方面日本政府明知收容人數超乎預期，對於嬰兒信箱依舊採取消極被動的態度。

接獲報告後的動向

當時收容的十七名兒童中有十人查明其身分。評鑑報告提出四個月後，也就是該年九月，熊本市政府公布這十人的家長年齡與遺棄原因等詳情。

母親的年齡以三十～三十九歲居多，占整體人數的五成；二十～二十九歲為三成，四十～四十九歲和十～十九歲各一成。分析婚姻狀況，已婚者占五成，未婚與離婚者合計五成。

在家中或車上生產者占整體案例的二成，令人驚訝的是部分案例的父母雙方都是外國人，約五成家庭有其他孩子。

好幾起案例都曾在事前向當地的兒童諮詢所諮詢；部分家庭曾經以「無法養育」為由，透過公家機關安排其他孩子進入嬰兒之家等安置機構。

熊本縣知事蒲島郁夫得知公開的內容之後，於二〇〇九年三月與當時的厚生勞動省大臣舛添要一會面，要求中央政府調查全國棄兒情況，例如統計棄兒人數等等。

他同時提出五大建言，包括增加諮詢窗口，方便為了懷孕生育煩惱的母親匿名諮詢；強化緊急支援體系等等。舛添的回應是「我們虛心接受熊本縣政府的建議，今後考量如何實現建言」。

當時蓮田接受NHK採訪，發表意見：「重要的是社會大眾一同思考，該怎麼做才能讓來到嬰兒信箱的孩子過得幸福。這絕不是可以置之不理、獨善其身的問題。」

轉眼間，嬰兒信箱的成立要邁入第二年了。

開設兩年半後的評鑑報告

二〇〇九年十一月，嬰兒信箱成立約二年半。「送子鳥搖籃評鑑會議」

把直到該年九月收容的案例詳情彙整為「評鑑會議最終報告」並公開。嬰兒信箱在這段期間收容的兒童人數增加至五十一人。

評鑑報告名稱為《「送子鳥搖籃」提出的問題》，首次公布之前不曾公開的棄子理由。

部分案例是不得不為，例如單親媽媽生活拮据與未成年少女意外懷孕等等；卻也有部分案例把匿名制的方便當隨便，對於拋棄親生子女從未感到不安或是絲毫猶豫。

把孩子送到嬰兒信箱的理由以「不想把小孩登記在自己的戶籍」為大宗，其他原因則分別是「家境貧困」、「外遇」、「未婚」。

透過直接接觸而得知的母親年齡分布廣泛，十～十九歲共五人，二十～二十九歲共二十一人，三十～三十九歲共十人，四十～四十九歲共三人，其中又以二十～二十九歲者占整體的四成。

除此之外，三十九起查明父母所在地的案例，全都來自熊本縣以外的縣市。由此可知這些家長來自日本各地，自行開車、搭乘新幹線或飛機等大眾交通工具來到慈惠醫院。

明顯有人把方便當隨便

令人驚訝的是不少案例的家長其實經濟狀態穩定、從事社福工作甚至是教職人員。

評鑑委員提到「部分案例實在稱不上走投無路」，指出部分家長將孩子送到嬰兒信箱顯然是為了逃避違背義務遺棄罪。

採訪團隊在採訪過程中遇上最啞口無言的案例是兩名教師外遇，向其他同事坦承懷孕生子一事，商量該如何處置孩子。教師會議上居然有人建議把孩子送到嬰兒信箱，兩人竟然也照著做。

除此之外，評鑑委員還發現出乎意料的案例其實層出不窮，例如擔任教職的祖父母認為未婚生子會「玷汙」女兒戶籍，以保護女兒名聲為由，將孫子送到嬰兒信箱；幼兒的父母意外過世，由親戚擔任其未成年監護人。該名親戚為了侵占財產，遂將幼兒送往嬰兒信箱，日後遭到逮捕。

評鑑委員嚴厲批判慈惠醫院成立嬰兒信箱可能減輕棄子造成的良心不安，導致家長與親屬貪圖方便或自身利益，肆意遺棄兒童：「匿名制降低了棄兒的門檻，不可否認地也助長了棄兒的風潮。」

嬰兒信箱危害母子生命安全

調查過程中發現部分案例從未前往醫療院所接受產檢，多半是在家中或是車上生下孩子。評鑑報告稱呼這種沒有醫師或助產士等醫護人員陪同，自行生產的情況為「自家生產等（孤立生產）」，本書下文採用「孤立生產」一詞。

二〇〇七年度的案例中約三成是孤立生產，到了二〇〇八年度超過三成，至於二〇〇九年度則是增加到約四成。評鑑報告指出這是「極為危險」的行為。

部分案例不僅是孤立生產，甚至還帶著孩子，千里迢迢來到熊本。當時在慈惠醫院擔任護理長的下園和子表示：

「我們曾經接二連三收到新生兒身上還有臍帶，只用一條毛巾裹起來。我抱著小嬰兒時雙手顫抖，心想『他居然能活到現在』。」

她也曾親眼目睹部分女性產後，體力尚未完全恢復就抱著剛出生的小嬰兒，一個人開車或是搭乘新幹線，歷經千辛萬苦才抵達嬰兒信箱。

「有些人一看到我就哭了。我深深感受到自己的任務不僅是拯救小嬰兒的生命，還需要對這些懷孕期間一直惴惴不安、一籌莫展，最後只好來到這裡的女性伸出援手。」

生父母不詳

當時嬰兒信箱收容的五十一名兒童當中，有三十九人查明其身分，卻還是有十二人完全沒有任何關於身分的線索。

報告針對此點表示「必須充分思考在不清楚兒童生父母的情況下，是否能保障兒童的生活與未來的人生」，認為「站在謀求兒童最佳利益與兒童有知其父母權利的角度來看，基本上無法認同慈惠醫院堅持匿名制」。

另一方面，這些母親無法向他人商量懷孕生產一事，無依無靠，走投無路。評鑑報告同意嬰兒信箱因為採取匿名制，降低母親把孩子送來信箱的門檻，提高日後援助兒童的可能性。

然而不可否認的是，匿名制對於把孩子送來嬰兒信箱的家長或其他親屬是「利」，對於被送來的兒童本人的將來卻是「弊」。

報告同時指出嬰兒信箱導致家長遠離「面對面的諮詢窗口」此類「保障兒童最佳利益」的設施，減輕遺棄子女的罪惡感，「削弱道德責任」。因此必須「盡力避免家長親屬匿名」把兒童交付給嬰兒信箱，繼續追蹤關注營運狀況。

嬰兒信箱能為孩子的人生負責嗎？

自從成立嬰兒信箱以來，慈惠醫院一直以保護兒童生命為優先。

下園回憶當時的情況：「當時我每天自問自答：『我們或許拯救了兒童的性命，但是這種作法真的算是救人嗎？我們這麼做能為孩子的人生負責嗎？』」

她希望能為每一個孩子找到父母，因此每當警鈴響起，總是立刻衝出護理站，確認帶孩子來的人是否還在附近。

當她看到呆若木雞的女子站在上鎖的信箱旁，向對方開口：「別擔心，可以找我們商量」，通常對方都會囁囁嚅嚅說明來龍去脈。有些人甚至因此打開心房，說出真名。

另一方面，當她拼命追趕逃上車的人，叫住對方時反而遭到抗議：「我明明聽說可以匿名把孩子交給你們的！」

「無論對方多麼過分，都無法改變他們是孩子父母的事實。等到這些孩子長大成人，總有一天會想知道生父母究竟是誰。因此我們必須站在兒童的角度來營運。」

匿名制究竟是為了誰？

前熊本縣中央兒童諮詢所兒童諮詢課課長黑田信子，自嬰兒信箱成立以來，協助安置信箱收容的兒童約莫三年。主張「匿名制絕對不是為了孩子，而是為了父母」。

兒童諮詢所配置的社工單位稱為「兒童福祉司」。黑田不僅是課長，也是「兒童福祉司」的社工，她當時的工作是暫時保護慈惠醫院收容的兒童。確定父母無法撫養時，安排兒童前往嬰兒之家或是委託寄養家庭等等。

不僅如此，她還為了身分不明的兒童進行全面搜索。

「當時我簡直跟偵探沒兩樣，調查跟孩子一起放進信箱的衣物、信件和所有細節，想盡辦法從中找出和父母有關的線索。」

有時甚至是靠醫院的工作人員匆匆寫下的車牌號碼找到家長。

黑田負責的三年之間，每當接到慈惠醫院通知便前往嬰兒信箱，親自見過每一個孩子。

她一直抱持複雜的心情，心想這些孩子長大以後或許會責怪自己：「為什麼就我不知道親生父母是誰呢？」、「為什麼不繼續幫我找下去？」

最後黑田以這番話為採訪作結：「這些孩子或許今後會和新的家人過著幸福快樂的生活。然而收容的兒童人數日益增加，不知道生父母的孩子真的過得上『幸福』的生活嗎？為了他們有一天可能上門來詢問親生父母是誰，我們必須留下調查的紀錄才行。」

對於中央政府的建議與請求

評鑑會議在前文提及的二〇〇九年評鑑報告《「送子鳥搖籃」提出的問題》中彙整了對於慈惠醫院、熊本縣政府、熊本市政府、中央政府、各地地方政府與媒體的「請求」。

其中特別值得一提的是對於中央政府的建議與請求。從嬰兒信箱收容的兒童與慈惠醫院接到的電話諮詢可知，許多女性因為懷孕生育而獨自煩惱，考量兒童有知其父母的權利，具體請求政府應當制定新的制度，從產前到產後，提供長期不間斷的支援體系與緊急對策。

報告中的建言如下：

政府應於全國各地設立數處設施以接受匿名諮詢，緊急安置匿名的母親與兒童，亦可安排短期入住（配合懷孕生產的庇護所），並以此為中心，形成支援網絡。支援網絡需設置於醫療院所，由政府主導安排。關於諮詢業務，應以慈惠醫院目前的諮詢方式為模範之一，討論各地公家機關的諮詢窗口如何執行慈惠醫院的作法。政府應當成立「國家級中心機能的組織，作為支援懷孕生育與保護母子相關配套措施的據點」，藉此提升公家機關諮詢窗口的技術，訓練每一個地區的窗口都具備足以應對的技能。

（部分摘要）

建言最後如是收尾：

「送子鳥搖籃」成立以來向我們拋出許多問題。現代社會之所以需要送子鳥搖籃這種體系是由於小家庭日益增加，與鄰人的關係日漸淡薄。單憑父母與其他家人協助不足以育兒，「育兒中的家庭孤立無援」。進一步著眼於個人意識，窺見部分案例認為未婚生子是玷汙戶籍，抱持「扭曲的家族清譽觀念」以及現代竟然還有「在意面子的風潮」。送子鳥搖籃的案例顯示個人或是個別的家庭在這個時代無法自行背負育兒的重擔。我們身為現代人，身為社會的一分子，必須虛心面對這個問題，同時期盼藉此保障所有兒童的福利。（部分摘要）

全國廣設諮詢窗口

評鑑會議的主席淑德大學教授柏女靈峰負責彙整報告，他在公開報告的記者會上表示：「家長把孩子送到嬰兒信箱的原因包羅萬象，以不討喜的說法來說明的話，包括『想當作沒懷孕這回事』這種明顯違背道德良心的理由。由此可知許多母親是在孤立無援的情況下生產或育兒，希望政府正視此一問題，加強支援政策」，並且親手將報告交給縣知事蒲島。

慈惠醫院的理事長蓮田收到評鑑報告後表示「感受到成立『送子鳥搖

鑑』是有意義的」，同時也再度強調匿名制的重要性：「正因為我們接受匿名，這些家長才會把孩子送過來。我們以拯救兒童生命為最高使命，所以不能取消匿名制」。

另一方面，對於評鑑會議希望政府成立緊急收容匿名母子的庇護所，慈惠醫院強調「單憑一間醫院難以負起拯救所有母親與兒童的責任，應當全國廣設窗口」，同意評鑑會議的建議。

政府不改保守態度

熊本縣知事蒲島與熊本市市長幸山虛心接受評鑑報告建議，迅速採取行動。當時的執政黨是民主黨，因此兩人向民主黨陳述評鑑報告釐清的現況，請求中央政府長期援助為了懷孕生育煩惱的女性，以及建立暫時安置保護的庇護所。

當時的民主黨副秘書長阿久津幸彥接受兩人的請求，表示「政府必須意識到這項課題，加以克服」。

並且兩人一同造訪厚生勞動省，直接提出建議。當時的厚生勞動省政務官山井和則表示「今後將考量如何充實諮詢體系」。

兩人同時進一步請求中央政府主導評鑑嬰兒信箱一事，山井卻依舊堅持謹慎保守的態度，表示「不便積極參與」，未曾給予正面肯定回應。

孤立生產可能致死

評鑑會議與慈惠醫院強烈請求日本政府成立「緊急收容的庇護所」。這是因為分析案例時屢屢可見「孤立生產」——母親自行生產，身邊沒有助產士等醫護人員陪同。

熊本市於二〇一二年成為政令指定都市[3]。二〇〇九年的評鑑報告公布之後，嬰兒信箱的評鑑作業交由熊本市政府成立的「送子鳥搖籃專家委員會」負責。

專家委員會由新血走馬上任，描述案例更為具體寫實，甚至到血淋淋、赤裸裸的地步，希望藉此喚醒社會大眾注意嬰兒信箱的問題。

3 譯注：類似台灣直轄市

案例當中許多人是孤立生產，這是否代表民眾並未了解這種生產方式的危險性呢？

專家委員會的成員熊本大學醫學院附屬醫院小兒科醫師三淵浩誠懇勸告：「許多案例極有可能母子雙方在來到熊本的路上便命喪黃泉，嬰兒信箱絕不是可以安心使用的安全地點。」

從開設初始便有聲音指出，母親產後沒多久便帶著孩子前往嬰兒信箱是冒著生命危險的行為。委員會要求院方提供衛教，宣傳此類行為的危險性。

然而部分來到嬰兒信箱的兒童仍需要立即治療，而且人數還急速增加。女性強忍疼痛，在家中、旅館或是車子裡生產，自行以剪刀剪斷臍帶，以橡皮筋或是繩子固定殘留的部分。由於缺乏醫護人員陪同，導致來到嬰兒信箱的部分兒童是早產兒，或是處於低體溫、罹患新生兒紅血球增多症、臍帶化膿等危險狀況。

三淵同時指出即使獨自一人生下了孩子，也無法確保嬰兒平安健康：「即便是在醫療院所生產，每十個新生兒當中就有一人需要治療，每一百個新生兒當中便有一人需要急救。倘若當下並未施以適當的醫療措施，新生兒極有可能無法呼吸，當場死亡。」

並不是把孩子送到嬰兒信箱，就能拯救他的生命。

三淵身為小兒科醫師，曾經治療過嬰兒信箱收容的兒童。他看到這些出生時並未接受妥善治療，身體虛弱的嬰兒，心情十分複雜：

「嬰兒信箱的目的是『拯救兒童的生命』，這些孩子卻因為家長以為帶來嬰兒信箱就沒事，反而生命受到威脅。無視於這個問題，繼續營運，真的好嗎？」

孤立生產的案例

專家委員會指出，提供嬰兒信箱收容棄兒的支援對策之前必須解決多項課題，例如孤立生產的起因於女性手頭拮据或意外懷孕時缺乏可用的支援體系等等。因此委員會公開當事人實際向醫院或兒童諮詢所吐露的情況。藉由這些案例了解從意外懷孕或非自願懷孕、孤立生產到把孩子送進嬰兒信箱的一連串緣由始末。

案例 01

單親媽媽領取低收入戶補助，撫養和前夫所生的五個孩子，同時又懷上其他男性的孩子。在家中生產後礙於家境無法撫養第六個孩子，又擔心給孩子報戶口會失去低收入戶補助，於是把孩子送到嬰兒信箱。

案例 02

已婚女子懷上第三個孩子，丈夫反對她生下孩子。女子心想家境貧困，無法再多養孩子，未曾與他人商量，在家中生下孩子後搭乘新幹線前往熊本，把孩子託付給嬰兒信箱。丈夫以為她已經墮胎，不知道其實生下一子。

案例 03

女子懷上未婚夫的孩子沒多久，對方便失去聯絡，下落不明。考量自己的經濟狀況無法獨力撫養，在家中生下孩子後上網搜尋嬰兒信箱，把孩子送來。好幾次想向父母坦白，卻還是說不出口。

案例 04

少女未婚懷孕，在家中生產。她和家人住在一起，卻沒有人發現她懷孕生子。少女無法向家人坦白，於是默默把孩子送到嬰兒信箱。

案例 05

嬰兒的母親是未婚的未成年少女，父親身分不詳。少女考慮過墮胎，卻沒有錢動手術。在家中生產之後，隔天搭乘新幹線前往熊本，把孩子送到嬰兒信箱。

案例 06

女子離婚之後在家中生下第六個孩子，不曾與前夫或是家人商量，同居的家人也並未發現她懷孕生子。原本想摀住孩子的嘴巴悶死他，卻因為對方貌似痛苦而住手，心想送往嬰兒信箱總比殺了他好。之後發現女子過去曾經把第五個孩子送來嬰兒信箱，當時也不曾告知家人生了第五個孩子。

案例 07

女子要求伴侶避孕未果，結果未婚懷孕。無法和他人商量，在家中生下孩子。希望嬰兒信箱代為照顧到她足以自立回來接孩子。

案例 08

女子離婚後懷上第三個孩子，孩子的父親是前夫。對方要求墮胎，女方狠不下心，最後在家中生產。原本想自行撫養，卻無法負擔家計。前夫強烈建議把孩子送到嬰兒信箱。

案例 09

女子未婚懷孕，原本和男方表示要生下來。討論到一半意見相左，不再和男方見面。在家中生產之後，重返職場的前一天把滿月的孩子送到嬰兒信箱。當時孩子只有兩千兩百公克，體重過輕，全身冰冷，衣服散發強烈異味。

案例10

女子事前在網路上搜尋嬰兒信箱。在家中生產之後帶著剛出生的嬰兒上飛機，把孩子送進嬰兒信箱。

案例11

未成年少女在開車前往嬰兒信箱的途中生下孩子。嬰兒送到嬰兒信箱時，少女本人也大量出血，危及生命，卻拒絕接受治療。在慈惠醫院的勸說之下，終於住院接受治療。

收容身心障礙兒童

另一方面，評鑑報告指出收容的身心障礙兒童占整體人數的一成，「這樣的人數絕對稱不上少數」。

這些孩子多半是在醫療院所出生，身心障礙程度有輕有重。

前文提及的專家委員會成員三淵浩擔心治療可能發生問題，表示「不清楚前一位醫師所診斷的病名和之前的診療資訊，代表必須冒著極大的風險開始治療。不清楚患者對藥物的反應或是否過敏，貿然治療可能陷患者於危險的境地。」

嬰兒信箱這十年來收容的兒童當中，有些孩子因為罹有障礙而找不到收養家庭，一直住在安置機構；有些孩子則是家長和院方討論後把孩子帶回去，之後卻又送回安置機構。

專家委員會主席山縣文治表示嬰兒信箱出現身心障礙兒童，代表支援兒童本人與其家人的體制不堪負荷一事浮上檯面。

「部分案例是由於父母無法接受自己孩子身心障礙，或是對育兒感到不安才把孩子送到嬰兒信箱。家長會出現這些情況，代表接生、治療兒童的醫療院所，以及負責支援的地方政府相關單位並未充分關懷。這也代表必須重新檢討整個社會該如何援助身心障礙人士。」

收容的安全性與合法性

如同前文所述，嬰兒信箱之所以成立，在於設施本身沒有危險性，「並未違反《醫療法》」，所以獲得政府許可。

然而專家委員會在評鑑過程中發現嬰兒信箱成立之後反而導致危險案例層出不窮，例如孤立生產或是母親冒著母子兩人都可能在路上喪命的危險，帶著孩子從遠方前往熊本，有些人則是把身心障礙或是需要醫療的兒童送來。因此指出「必須從法律層面檢討收容時的安全性與違法性」，「現在應當重新考量是否需要改變嬰兒信箱的運作型態」。

山縣同時說明嬰兒信箱與孤立生產的關聯：

「意外懷孕的女性孤立生產後，冒著生命危險，長途移動到熊本，把孩子送進嬰兒信箱。這一切行動已經成為成套的流程。我們不能否認嬰兒信箱出現之後，引發孤立生產與把孩子送到嬰兒信箱等一連串危險的行為。」

保護母親的重要性

二〇一四年十月發生一起把新生兒遺體遺棄在嬰兒信箱的事件（詳情待後文第二章詳述）。

隔天當時三十一歲的母親因為遺棄屍體的嫌疑而遭到逮捕。她一個人在家中生產之後，把死去的親生孩子帶到嬰兒信箱後離開。

她在警方偵訊時供稱「相信把屍體放進嬰兒信箱，對方會好好祭拜他」，日後判處一年有期徒刑，有緩刑期間。

其實該名母親生第一胎時是剖腹產。女性剖腹產之後以自然分娩的方式生產，風險極高。最糟的情況是引發子宮破裂，造成嚴重出血。

專家委員會指出「倘若母親定期產檢並且在醫療院所生產，或許新生兒便不會死亡」，並且呼籲「行政機關與醫療院所應當攜手加強衛教，教育民眾分娩前從未接受產檢和在家中生產的危險性」。

媒體大幅報導了這起棄屍事件。

事件爆發之際，嬰兒信箱邁向七週年，原本在媒體曝光的機會近乎於零，社會大眾也不再關心。

出乎意料的重蹈覆轍

採訪團隊採訪過程中，又發生了意想不到的案例。

這起案例是把用毛巾包裹起來的新生兒放在嬰兒信箱下方，而非打開門放進信箱裡。雖然就在嬰兒信箱附近，畢竟還是室外。這樣應該構成違背義務遺棄罪吧？

院方接到疑似母親的女性打電話來：「我沒有辦法養育小孩，所以把他放在門外面。」

對方說完便掛斷電話。院方接到通知，立刻把孩子帶進醫院。之後警方鎖定母親身分，她配合警方調查，向警方坦白。最後警方以「放下嬰兒後立即聯絡院方，保障嬰兒人身安全，因此不算遺棄罪」為由，並未逮捕母親。

專家委員會認為事態嚴重，因此公布案例。

該名母親在室外地面鋪了毛巾和報紙，獨自生下孩子。之後搭乘新幹線前往慈惠醫院，最後卻因為不知該如何打開嬰兒信箱的門，於是把孩子放在地上。

獨自在室外生產，產後長距離移動，還把新生兒放在門外……這個案例包含一連串危險行為，專家委員會就此表示：「這個案例顯示兒童諮詢所與地方政府必須檢討該如何與本身就亟待協助的母親建立關係，又應當提供哪些支援方案。」

接受採訪的相關人士表示：「倘若該起案例無罪，代表以後就算把嬰兒放在路邊，只要家長打通電話聯絡附近的派出所就沒事了。這起特殊案例可以說是立下了這種前例。」

來自國外的孩子

出乎意料的案例不限於日本，甚至還出現了來自國外的兒童。

二〇一六年七月，專家委員會與慈惠醫院公布第一起來自國外的案例，不過並未公布國籍等細節。

另一方面，專家委員會表示該起案件單憑熊本市一介地方政府難以自行聯絡該名兒童的母國等等，呼籲厚生勞動省出面協助，解決「必須由日本政府出面」的問題。

採訪團隊也在採訪過程中發現院方已經查明該名兒童本身罹患疾病、其父母身分與國籍。嬰兒信箱收容之後轉介至安置機構。日本行政相關單位也已經採取行動，要把他送回母國。

採訪團隊嘗試聯絡該國領事館，直接和領事以電話溝通，詢問該名兒童的回國事項。領事也表示他們目前為了此事費盡心思：

「儘管家長拒絕領回孩子，我們還是持續聯絡，希望能說服對方。現在打算拍一些小孩健康活潑的照片和影片，寄給家長。」

相關人士表示對方家境小康。能夠帶著孩子跨海來到熊本，的確不太可能手頭拮据。即便家長拒絕領回孩子，既然知道了孩子的國籍，日本政府自然會將兒童交給對方政府。領事表示倘若家長仍舊拒絕接受，考慮回國後先安置於兒少家園。

當我們詢問厚生勞動省今後將如何處理該起案例時，案例負責人表示「無法回答個別案例的細節」，同時表示「會因應熊本市政府提出的問題，給予適當建議，聯繫其他相關單位協助」。

該名兒童此時已經兩歲。倘若繼續滯留日本，要解決的不僅是國籍問題，還包括語言以及今後由誰來負責養育等多種盤根錯節的問題。別說是民間醫院了，連熊本市政府都應付不來這些「出乎意料」的案例。日本政府卻不曾公開此類案件的處理詳情。

嬰兒信箱的多種不為人知情況

愈來愈多人知道嬰兒信箱的目的是拯救兒童生命的設施，不過大家恐怕沒想過成立之後其實引發了許多問題。評鑑報告提出的案例都是真實故事，不是虛構文章。

在此重新回想慈惠醫院的理事長蓮田接受採訪時的回答：

「重要的是社會大眾一同思考該怎麼做才能讓來到嬰兒信箱的孩子過得幸福。這絕不是可以置之不理，獨善其身的問題。」

認為棄兒事不干己，的確就不用為此多加煩惱了。然而日本社會變得如此貧瘠荒涼，不就是因為大家都漠不關心嗎？

這些大人貪圖自己方便而拋棄的孩子，究竟該由誰來拯救，又該如何拯救呢？

問題錯綜複雜，盤根錯節。身為新聞從業人員，所能做的第一步是正確傳達嬰兒信箱的現況。

第二章

走投無路的女人，自私自利的男人

抵達嬰兒信箱的女人

第一章介紹開設嬰兒信箱的過程、啟用後的概況、評鑑委員會的見解和日本政府的回應等等。案例中有些人是貪圖自己方便，例如「想要去留學」或是「想重返職場卻找不到托兒所」；也有些人是真的走投無路而不得不選擇這個最終手段。

這些猶豫究竟要不要生下孩子與養育的女性，當時是抱持何種心態，又是採取何種行動，最後如何找到嬰兒信箱呢？下文引用採訪取得的部分第一手資訊，詳細探究實際情況。

案例01——真由美（二十多歲）

使用嬰兒信箱的理由是意外懷孕

出乎意料的情況

採訪團隊是在二〇一四年夏天，第一次採訪到把孩子送進嬰兒信箱的當事人。

我們在採訪之前想到的問題汗牛充棟：為什麼會想把剛出生的孩子送進嬰兒信箱呢？懷孕期間又是如何自處呢？她認為放棄親生孩子是正確的抉擇嗎？還是覺得犯下不可挽回的過錯呢？

這是團隊第一次與實際使用過嬰兒信箱的母親面對面，前所未有的經驗令每個人都相當緊張。

約好的時間過了十分鐘之後，一名身材高䠷的女子走進咖啡廳來。女子的名字是真由美（化名）。她畫了淡妝，戴著粗框眼鏡。遲到了也沒有不好意思的樣子，給人「典型現代女孩」的印象。

雖然一身休閒打扮，卻也看得出來搭配下過功夫。時不時露出的笑容充滿魅力。語氣沉穩，看起來比實際年齡成熟。

像她這樣的人真的把親生孩子送進嬰兒信箱了嗎？閒聊當下實在教人難以置信。

父母在她小時候離婚，她是由自營作業者的父親和祖母扶養長大。父親個性雖然頑固，卻十分疼愛她，不希望她因為在單親家庭中成長而感到寂寞。她想早點出社會工作好孝順長輩，於是選擇高中畢業之後就讀職業學校，以便取得國家證照。職業學校位於外地的小城市，所以她在升學的同時離鄉背井，住進當地公寓，開始一個人生活。

兼顧打工和課業不是一件輕鬆的事，每年只有暑假和過年那幾天才有空回家。許多朋友都留在故鄉，回家是她少數的樂趣之一。然而新幹線車票昂貴，一年回家兩次已經是極限了。

雖然在學校交到新朋友，異鄉的生活還是讓她感到前所未有的憂慮不安。她為了排遣寂寞而和認識不久的男子發生關係，卻造成意外的後果。

懷孕是自作自受

真由美的月經向來很準時。她發現月經遲遲不來，於是前往隔壁城鎮的婦產科檢查，以免學校老師和朋友察覺。檢查結果證實不好的預感成真。未成年又意外懷孕，頓時感覺眼前一片漆黑，「這下子糟了」。

她無法向家人坦承自己懷孕。頑固的父親一定不肯原諒自己，可能還會因為過於激動而要求她退學回家。

父親是自營作業者，經濟狀況稱不上寬裕。儘管如此，父親還是想辦法湊出學費，送她離開故鄉，就為了完成女兒的夢想。想到這些事情，她在父親面前便抬不起頭來。明明選擇遠離家鄉的學校，是為了早日找到安定的工作好讓父親安心，現在做的事情反而恩將仇報，實在窩囊丟人。

她也沒想過要跟從小離家的母親商量。母親離婚之後再嫁，建立了新家庭。雖然會與母親定期聯絡，卻沒有熟悉到能討論如此深入複雜的問題，以前不安或是煩惱時也沒想過要找母親訴苦。對她而言，母親不過是外人。

真由美表示自己和對方只是逢場作戲，所以打從一開始就認為「懷孕是自作自受」。不知道對方的聯絡方式。儘管憑著少許線索或許能找到對方，不過她沒想過要告知對方自己懷孕，要求對方負責或是支付墮胎的費用。

話雖然這麼說，光憑父親寄來的生活費和打工賺來的錢，實在負擔不起墮胎的費用。她很想「當作沒懷孕這回事」，卻因為手頭拮据而下不了決心。結果就這麼一天拖過一天。

無法逃避的現實

那一陣子課業與實習日益忙碌，恰好讓她忽略懷孕這件不想面對的現實。

儘管如此，每天還是會想到肚子裡的孩子。早上換衣服和沖澡時總會看到大起來的肚子，被迫正視明顯無法逃避的現實。

——接下來到底會怎麼樣呢？

她怎麼想都想不出解決辦法。面對現實實在太麻煩，於是忽略肚子裡有孩子的時間逐漸增加。此時已經完全錯過墮胎的時機了。

她有時會感覺到胎動，卻不曾因此感受到胎兒成長的喜悅。錯過墮胎的時機之後，她還是一心一意期盼「沒有過懷孕這件事」。

——我不想生下他。

強烈的拒絕心態促使她把厚重的教科書放在肚子上做仰臥起坐，或是用皮帶勒緊腹部，甚至故意從公寓的樓梯跌下來。然而無論她如何努力，肚子裡的胎兒依舊充滿生命力，持續成長。

決定放手

某一天腹部突然傳來一陣疼痛，結果真由美在公寓廁所裡生下一個小男孩。儘管出生前一直否定肚子裡有胎兒，實際看到嬰兒時，第一印象是「好可愛」。

她開始餵母奶，和兒子一起洗澡。白天上課時就把剛出生的兒子放在家裡。擔心他一個人會出意外，所以午休時間會暫時回家一趟餵母奶。

她在天氣變得炎熱的日子也不敢開窗，擔心哭聲傳出去會被鄰居發現，所以會先開好冷氣再出門。雖然細心照顧了孩子一星期，但兼顧課業與育兒實在不是一件簡單的事。

——我沒辦法繼續照顧下去了。

她很快便發現自己到了極限，於是在網路上搜尋到慈惠醫院的網站——不需要暴露身分，遺棄孩子也不需要負起法律責任。她無法向周遭的人坦承自己懷孕生子，嬰兒信箱實在是再好不過的解決辦法。

她在假日時前往熊本，打開信箱門，把出生沒多久的親生兒子放進去。一邊道別一邊關上門。

之後她考取國家證照，從職業學校畢業，回到家鄉工作。她表示不曾後悔使用嬰兒信箱一事。

「出生後雖然覺得很可愛，捨不得放手。但是我不能讓周遭的人發現自己懷孕生子。為了隱瞞這件事情，我甚至想過要隨便丟在某處。選擇嬰兒信箱最主要的原因在於身邊沒有人可依靠。」

案例 02——舞（二十多歲）

男方要求墮胎，最後選擇成為單親媽媽

不想讓人知道懷孕

苦於意外懷孕的女性當中，不少人雖然沒有走到使用嬰兒信箱這一步，實際的行為卻和遺棄沒兩樣。

舞（化名）上大學的那年夏天意外懷孕，孩子的父親是男朋友。她在家用驗孕試紙測試，結果是陽性反應。原本她並未深思，心想「應該會拿掉吧！」然而在婦產科看到超音波檢查的螢幕上出現小小的胎囊，心境產生了變化。

「想到肚子裡有一個小生命，便湧起『想生下來』的渴望。」

此時她懷孕五週。告訴交往的男學生，對方聽了立刻反問：「妳會拿掉對吧？」

舞出生於單親家庭，由母親一人撫養長大。母親千辛萬苦送她上大學，她實在沒有勇氣坦承自己懷孕一事。同時又害怕身邊的人發現，因此去婦產科確認懷孕之後便再也沒去產檢，也沒申請媽媽手冊。

肚子一天一天大起來，也開始感受到胎動。想到孩子出生不受祝福便升起一股罪惡感。擔心自己真的能瞞著母親，獨自扶養小孩嗎？到時候恐怕很難兼顧大學課業與育兒吧？帶著還在吃奶的小嬰兒，一個女人家真的能賺到安定的收入嗎？她完全無法想像未來的生活。

另一方面，生產時已經超過二十歲。她心裡總有一處覺得成年了應該就會有辦法吧！

她當時的心情是「總之絕對不能讓人發現自己肚子裡有小孩」，所以直到懷孕八個月都還不曾向任何人商量。

她蒐集了從陣痛到生產等過程的資訊，所有不懂的事情都在網路上找答案。此時嬰兒信箱一詞突然閃過腦海。

第一次說出煩惱

「既然是開設嬰兒信箱的醫院，應該可以在那裡安心生下孩子。」

舞透過智慧型手機搜尋到慈惠醫院的網站，發現這裡提供免費電話諮詢服務，而且是二十四小時又全年無休。所在地的地方政府雖然也提供懷孕生育的相關諮詢窗口，但是她很擔心資料外洩，實在鼓不起勇氣聯絡。

選擇慈惠醫院的理由是「匿名」與「遙遠」。熊本距離家鄉遙遠，不會被母親發現，或許能夠悄悄生下孩子。

在臨盆前找到可以商量的對象，舞稍微鬆了一口氣。之前她一心一意只想隱瞞懷孕的事實，考慮自己扶養的可能性。真的能夠冷靜下來思考怎麼做對孩子最好，是在聯絡慈惠醫院之後。

「如果我沒能聯絡上慈惠醫院，也許真的會遺棄孩子也說不定。或許我真的會就這樣把孩子隨便遺棄在某處……」

而舞最後選擇親手養育孩子。舞的母親在女兒生產之後才第一次接到通知，雖然十分驚訝卻還是尊重女兒的決定，祝福女兒。現在舞在母親的協助下當起單親媽媽。

儘管如此，她直到現在還會時不時後悔：「我的理想是建立幸福的家庭，夫妻感情良好，小孩也很仰慕雙親。讓小孩出生在單親家庭，我覺得很對不起他，老實說也沒有自信。我明明很希望小孩能在眾人祝福之下出生，卻沒能做到這件事，覺得自己鑄下大錯……也許比起由我自己扶養，把小孩交給嬰兒信箱，由好人家收養，小孩會更加幸福。像我這樣的人真的有資格當媽媽嗎？我感到十分不安。」

案例 03 文乃（二十多歲）

使用嬰兒信箱的理由是男方拒絕接受孩子

懷孕的喜悅消失得無影無蹤

「我想過要是沒有嬰兒信箱會發生什麼事。恐怕會像新聞報導的一樣，把孩子隨意遺棄在某處吧……」

文乃（化名）接受採訪時，淡漠的表情在攝影機前沒什麼變化。但是我沒有錯過此時她聲音稍微顫抖了一下。擱在大腿上的雙手也用力握緊，指尖都變紅了。

她是在高中時知道嬰兒信箱，在新聞節目和雜誌上看到關於開設的爭論。當時覺得這些事情和自己沒關係，沒想過自己居然也有用上的一天。

發現肚子裡出現小生命時已經懷孕二個月。孩子的父親比自己年長，兩人交往了一年多。去看婦產科確定懷孕時，「單純覺得很高興」。對方收入穩定，只是常常得接受公司調派，前往異地工作。文乃靠打工維持生計，期盼有一天能和對方結婚，也相信對方抱持相同心態。然而確定懷孕沒多久才知道對方其實腳踏多條船。

男方從頭到尾冷淡不關心

「我希望妳去把孩子打掉。」

聽到對方這麼說，於是文乃考慮了墮胎。想到自己可能遵照對方的意思去墮胎，便遲遲無法去申請媽媽手冊；除了去婦產科確認懷孕之外，便再也沒去產檢。

對方不但不願意和自己共享懷孕的喜悅，甚至還背叛了自己——文乃雖然感到失望，卻沒和對方分手。內心總有一個角落期盼對方或許有一天會對自己說：「我們結婚，一起來養小孩吧！」

懷孕到了五個月，她開始感覺到胎動，愈是捨不得孩子了。然而她遲遲無法決定要生下來自己撫養還是放棄孩子去墮胎，結果錯過了人工流產的時機。

儘管她告知男友「已經過了可以打掉的時間，只能生下來了」，對方仍舊一副可有可無的態度。她試著把第一次去婦產科時拿到的超音波照片拿給男友看，希望引起對方注意，卻徒勞無功。

難道真的得獨自一人撫養孩子嗎？光靠打工的微薄收入只能勉強維持自己的生活，沒有自信再多養一個孩子。她也考慮過尋求住在附近的父母協助，卻總是說不出口。父親管教子女嚴格，實在不覺得會原諒自己未婚生子。她也想過至少告訴母親，不過想到母親個性容易擔心，單單告知自己懷孕可能就會哭哭啼啼便退縮了。

無處可逃後的最後退路

文乃無法向周遭的人坦承懷孕的煩惱，日漸孤獨。對她而言，最後的退路是高中時在新聞節目上看到的嬰兒信箱。

——我可以把孩子帶去那裡。

於是在懷孕六個半月時首次打電話給慈惠醫院。

她沒有說出自己的姓名，只表示「我已經過了可以墮胎的時間，想把孩子交給嬰兒信箱」。儘管打電話之前惶惶不安，接電話的護理師十分溫柔，帶領她說出所有煩惱。例如伴侶不願協助，又缺乏獨力撫養子女的經濟能力；害怕遭人發現懷孕，連父母都瞞著；想過要墮胎，所以沒去領媽媽手冊，也不曾接受產檢。

護理師告訴她「如果生了之後真的沒辦法親自撫養，可以利用收養家庭制度，把孩子託付給別的家庭」，最後還對她說「之後我們定期聯絡吧！」才掛上電話。

說到這裡好像看見一絲光明，其實文乃之後再也沒打電話給慈惠醫院。因為她非常擔心再說下去，家人會發現她懷孕。

另一方面，到了這個節骨眼她還是相信男友可能改變心意，所以無法下定決心把孩子出養，交給收養家庭。

放棄與決心

儘管肚子一天一天大起來，文乃還是會定期與父母見面。父親似乎發現她體型出現變化，她卻以「最近壓力大，吃胖了」為藉口搪塞矇混。

她擔心父親可能發現自己懷孕，經常見面實在風險太高，於是撒謊打工變忙，藉此逃避和家人聚會。其實那一陣子她由於孕吐和倦怠而無法打工，懷孕到八個月時經常請假，最後老闆乾脆開除了她。

男友看到她肚子日漸醒目，態度卻依舊冷淡。文乃終於認命，下定決心放棄孩子。伴侶不願體諒和協助，又失去工作，明眼人一看也知道根本沒辦法養育孩子。到了最後一個月，她悄悄下定決心：「我要去熊本，把孩子交給嬰兒信箱」。

生產前夕的危險行為

預產期的前四天，文乃帶著日幣十萬元前往家鄉的機場，目的地是熊本。她計畫投宿距離慈惠醫院不遠的鬧區商業旅館，悄悄生下孩子後，趁著沒人的時候把孩子放進嬰兒信箱。

她擔心在家鄉生產再去熊本，帶著新生兒上飛機需要醫師同意書。其實國內線規定出生八天後就不需同意書，出生不到八天的新生兒則不能搭飛機。反而是距離預產期二十八～八天的孕婦必須出示醫師的診斷書，證明身體健康方能上機；至於距離預產期不到七天者則必須出示診斷書與醫師陪同。

她自從懷孕兩個月時去過一次婦產科，之後就再也沒做過產檢，因此無法取得醫師診斷書，更不可能找到醫師陪同上機。

預定上飛機的日子距離預產期不到七天，照理來說會遭到拒絕。她原本打算要是航空公司問起，就堅持自己還沒到最後一個月。然而無論是在國內線入口還是登機口都無人阻攔，最後順利上了飛機。一切擔心不過是自己嚇自己。

在旅館破水

文乃一路上撫摸自己的大肚子，滿腹愁思：

「一方面覺得必須要珍惜、要守護這個孩子，同時又想自己真的要丟掉這個孩子了，他要是知道自己被拋棄，又會怎麼想呢……還是當初應該照著男友說的話把孩子打掉呢？」

儘管如此，她一路上還是告訴自己前往熊本，把生下來的孩子放進嬰兒信箱是唯一的辦法。

搭乘飛機和高速巴士，終於抵達熊本。雖然是第一次來到熊本，卻沒有心情觀光。一心一意期盼趕緊陣痛，每天一直繞著旅館散步。這裡沒有任何好友或是親戚，「不用擔心被誰看到，不會遭人發現，可以光明正大走在街上」。

手頭上的現金有限，她只能靠著不斷散步來忘卻焦躁與憂慮。焦躁是因為期盼孩子趕快報到；憂慮是因為自己從未接受產檢，擔心可能無法平安生下孩子。然而鬧區的喧囂緩解了不安的情緒。

待了三天，錢也花得差不多，卻還是沒開始陣痛。正當第四天早上決定打道回府時，腹部終於痛了起來。她打電話通知旅館要延後一天退房，陣痛在掛上電話後一波比一波強烈。她心想只要能撐過陣痛，應該一切就沒問題了。

於是把事前準備好的毛巾鋪在床上，等待孩子冒出頭來。然而破水三十分鐘之後，還是沒看到孩子的蹤影。不僅如此，自從破水之後，她就沒感受到胎動了。

——孩子也許氧氣不足，死在肚子裡了。

想到這裡，文乃趕緊打電話給慈惠醫院。她一邊忍耐陣痛，慌張到不知道自己在說什麼：「我打算生了孩子帶到嬰兒信箱去，現在卻在旅館破水了，我可以馬上過去嗎？」

她搭乘計程車趕往醫院。進了醫院，不到十分鐘便生下一個健康的小嬰兒。

生產可能危及生命

由於文乃產前從未接受產檢，生了之後才知道肚子裡是個男孩。

她一直到臨盆之際都不清楚孤立生產的危險性：「我當時滿腦子只想到要把孩子送去嬰兒信箱，完全沒有餘力思考小孩是否能平安出生，是否身心障礙或是可能死產。破水之後由於小孩一直出不來，才擔心得趕去醫院。如果我當時繼續一個人在旅館硬撐，不知道究竟會發生什麼事……好險聯絡了慈惠醫院。」

小孩平安出生後，護理師告訴她，「要是妳聯絡得晚了點，妳跟孩子都會有生命危險」，她才明白自己採取的行動竟是如此危險，充滿罪惡感。

文乃表示自己當時隔著玻璃，向在新生兒室睡得香甜的親生兒子道歉，淚水也不禁潸潸而下：「謝謝你平安生下來，不好意思讓你受驚嚇了。」

從未抱過親生兒子

然而淚流不止的原因不只是好不容易生下孩子，而是接下來得把冒著生命危險生下的孩子出養。慈惠醫院尊重文乃的意願，準備隔天就把孩子交給收養家庭。

明天孩子就要離開自己——光是想到這點，她的決心便開始動搖。可以的話，她想自己撫養孩子。看到平安來到人世的孩子，這番心情比懷孕時更加強烈。

當天晚上她抱著最後一線希望，打電話給男友：「小孩平安生下來了。」

然而男友聽到這句話，也只應了一句「是喔！」即使她告訴對方自己隻身前往熊本，孩子已經決定出養與找到養父母，也只得到一句「是喔！」對於文乃賭命生下孩子，對方沒有一句慰勞的話。

「我在電話中終於明白對於男友而言，孩子一點也不重要。我想大概是因為他沒有親眼見到孩子，才沒有意識到自己當爸爸了……」

文乃原本期盼能和對方一起養育孩子，這個夢想終究沒有成真。

由於生產時便已經決定要出養，文乃不曾抱過親生兒子。這應該是因為只要抱過一次就會產生感情，動搖決心。因此她只能站在醫院的走廊上，隔著玻璃凝視在新生兒室裡睡得舒舒服服的寶貝兒子。

選擇出養孩子

光靠文乃手頭上的現金，不足以支付生產所需的費用。最終是收養家庭幫忙支付差額。

她原本對男友多少還抱持一點期待，走到這一步終於明白一切都是枉然。唯一的選擇是出養孩子，把剛出生的小生命交給收養家庭。

生產之後，由婦產科的護理師負責照顧她。護理師告訴她養父母長期接受不孕治療卻一直懷不上孩子。

慈惠醫院從開設嬰兒信箱以來，收到全國各地渴望收養孩子的夫妻聯絡，表示「我們會把親生父母無法撫養的孩子當作自己的孩子照顧」。許多母親由於外遇、性暴力或是未成年等因素而無法撫養親生子女。醫院透過合作的民間媒合組織把出養的孩子交給收養家庭。收養家庭則必須做好心理準備，無論孩子是男是女，是否罹患疾病或身心障礙，都必須當作自己的孩子疼愛照顧。

收養文乃兒子的夫妻也是抱持相同的信念，無論是什麼樣的孩子都願意當作自己的孩子撫養。

——這個孩子還是交給期盼新生命到來的養父母照顧才會幸福。跟著像我這樣連懷孕都還得瞞著父母，不受祝福的媽媽一定不會幸福，將來也過不上好日子。所以還是出養得好。

文乃反覆和醫院的工作人員討論，一直告訴自己出養才是正確的決定。久而久之，整個人也冷靜了下來。

護理師鼓勵她：「正因為經歷過痛苦，更希望妳將來過得幸福。」

回到家鄉重新開始

生產完後一個多星期，文乃回到家鄉開始新生活。她把離開熊本之前護理師說的那番話銘記在心，因而得以抱持積極的心態面對人生。

她透過徵人廣告找到新的打工，解決失業好幾個月，沒有收入的問題；原本為了隱瞞懷孕一事而避開父母，現在也能安心和家人見面。

雖然無法原諒男友不願意擔起養育孩子的責任，卻也無法抹煞自己只有他的念頭。

「我想自己是選了男人，而非孩子。但是真心話是希望對方阻止我把孩子出養。」

她下定決心不要再經歷如此痛苦的經驗，也不應該把無辜的孩子捲進來。

思念孩子

雖然文乃不知道收養家庭的個人資料與詳細地址，不過出養幾年後，聽說孩子在養父母的呵護下過著幸福的生活。

儘管如此，她還是反覆自問自答，懷疑自己當時是否做了正確的決定。

「懷胎十月生下來的孩子，還是應該要自己撫養」的心情不僅未曾減弱，反而隨著歲月流逝而日益增強。

她手機裡保存了一張當年隔著新生兒室玻璃拍下來的照片，不知道看了多少次兒子尚在襁褓中的模樣。她想過忘了或許會比較輕鬆，在路上看到差不多年紀的小男孩卻總會忍不住想像兒子現在的模樣，又是過著什麼樣的生活。

——是不是很會說話了呢？是不是充滿活力，在公園裡四處奔跑呢？養父母給他取了什麼名字呢？

她愈是想像，愈是想再見孩子一面。

結果她抑制不住渴望見面的心情，前往熊本一趟。本來是想再度造訪醫院，取得跟兒子有關的線索。然而當初是她自己同意把孩子出養，她明白就算是生母也無計可施。

再次造訪熊本比她想像得還痛苦。來到熊本終於明白自己的行為不過是沒有意義的掙扎，她連醫院也沒去就離開了。

儘管如此，渴望見到兒子的欲望卻一天比一天強烈。人雖然能回憶過往，卻不能回到過去，所以也不可能再見到兒子。光是明白這個道理，心情便更加焦躁。

要是有機會再見到一次兒子，她想親眼看看兒子是否過得幸福。她明白自己沒有能力扶養卻還是生下孩子，想為自己任性的行為向兒子道歉。另一方面，她也想對兒子說：「謝謝你來到這個世上。」儘管她明白這是不可能實現的夢想，還是忍不住期待有一天能和兒子一起生活。

案例 04

男子把和第三者的孩子送到嬰兒信箱，導致外遇對象帶著女兒一起自殺

小女孩被帶走

另外也有些生命雖然曾一度託付給嬰兒信箱，最後卻還是犧牲了。二〇一二年春天，在九州南部的山中發現三十四歲的母親與二歲的女兒死在汽車裡。車子裡有燒剩的木炭，推測死因為一氧化碳中毒。負責調查的警方認為應該是母親帶著女兒一起自殺。

孩子的父親社會地位崇高，本來就有家庭。因此女子是以單親媽媽的身分養育女兒。據說女方決定生下孩子時，男子本來決定要全力協助。

她相信男方的誓言：「我總有一天會離婚，和妳一起展開新生活」，所以選擇珍惜肚子裡的新生命。

然而生下孩子一年多之後，兩人的幸福生活卻劃下句點。男子趁

女子不在時帶走孩子，悄悄前往嬰兒信箱。他在職場擔任要職，必須負起責任，無法公開自己有婚外情，甚至還與婚外情的對象生下小孩。

他也無法告訴結褵多年的妻子自己做了對不起她的事，覺得自己無法和女子繼續走下去。原本期盼一家三口一起生活的美夢也成為過去式。他逐漸變心，最後甚至覺得「要是沒這個孩子就好了」，因此瞞著女方把小孩帶去嬰兒信箱。

女子接到通知，立刻趕往熊本見女兒一面。據說她對著年幼的女兒，哭著道歉了好幾次。

當時她心中作何感想呢？想必是多種情緒錯綜複雜，一方面懺悔自己害得寶貝女兒被送進嬰兒信箱，對男子居然想抹煞女兒的存在而感到失望，又氣自己居然相信男子的甜言蜜語，做白日夢。

小女孩送回母親身邊

這起事件被視為使用嬰兒信箱的案例之一，因此熊本的兒童諮詢所並未將女兒直接交給母親，而是依照慣例，把案例轉介至女子居住地的兒童諮詢所，小女孩送往當地的嬰兒之家。

當地的兒童諮詢所否認負責該起案例，拒絕說明事情經過。然而就採訪團隊所知，母親沒過多久便把小女孩從嬰兒之家接回家。我們推測主因是母親工作穩定，無須擔心經濟問題。小孩回家之後，不確定兒童諮詢所是否適當關懷該案例。然而女子為了這段婚外情而苦惱，逐漸衍生出心理疾病。

救不回的生命

當天負責管理山林的當地居民看到像是母女的成年女子和小女孩。他當天下午為了砍樹剪枝而進入山中，在山腰的人工廣場看到陌生的汽車停放於此。當時雖然已經是孟春，空氣還是很冰冷。這種時候居然有觀光客來到遠離人煙的山林。

該名男子向兩人打招呼，母親微笑致意。男子到山頂附近修剪枝枒樹葉時，聽到從廣場傳來母女的歌聲。

「小女孩可愛的聲音傳遍山林，光是聽到開心的笑聲，連我都心情開朗了起來。」

沐浴在溫暖的春陽之下，小女孩當時是什麼樣的心情呢？母親又是以何種心情凝視寶貝女兒呢？

採訪團隊是在母女倆過世三年後造訪燒炭自殺的地點。兩人離開人世的廣場角落有兩朵淡紫色小花並肩綻放。

檢討如何預防重蹈覆轍

前護理部長田尻由貴子從嬰兒信箱成立以來一直參與營運，小女孩送回母親身邊後，反而和母親同歸於盡的事件一直令她痛心疾首。

「我不能原諒好不容易救回來的一條命居然死於母親之手，而且母親本人也自殺。兒童諮詢所應該了解當初小女孩被送來嬰兒信箱的原因，慎重對應才是。」

為什麼無法預防此類憾事發生呢？熊本的專家委員會再三要求原本負責的兒童諮詢所檢討，對方至今依舊不願配合。

採訪時看到紫花地丁綻放，通知春天來臨。

專家委員會主席山縣文治表示倘若當地的兒童諮詢所充分了解母親的心理狀態，就能預防母女同歸於盡的慘劇發生。並且她進一步批判行政機關無視專家委員會的要求：

「母親帶著子女自殺可說是『終極的虐待』。國家的方針是轄區的兒童諮詢所應當檢討虐待致死的案例，避免重蹈覆轍。拒絕分析與檢討案例是怠忽職守。」

第三章會再次提到熊本市兒童諮詢所查明兒童身分後，將案例轉交父母或是其他家屬所在地的兒童諮詢所。然而包括父母將孩子領回家的案例，日後該如何給予援助等具體對應，則方式是交給各地的兒童諮詢所自行判斷。

慈惠醫院和熊本市政府雖然暫時收容過孩子，卻不清楚轉介至各地兒童諮詢所之後的情況，並未彙整把孩子送到嬰兒信箱的家長與其子女「日後」的資訊，因此不曾針對個案進行檢討。

案例05

嬰兒信箱收到嬰兒遺體，發展成棄屍事件

開設以來最大的衝擊

二〇一四年十月三日，晚上八點二九分，嬰兒信箱裡發現一具男嬰的屍體。

當天在醫院護理站的助產士和護理師聽到嬰兒信箱的警鈴響起，趕緊前往嬰兒信箱。然而一打開，卻發現床上有一個銀色的包裹。打開包裹發現裡面是出生沒多久的嬰兒。從氣味強烈與腐敗的狀態來看，確定已經死亡。由於嬰兒身上沒有殘留的臍帶，推測出生後放置了一段時間。

屍體上沒有虐待的痕跡。護理師外出尋找棄屍者，對方卻已經離開了。

這是嬰兒信箱成立以來第一次收到遺體。院方立刻報警。警方調查現場，同時偵訊院內員工，從其中一名員工口中得知當天出現可疑

人物。

該名員工當天晚上走出醫院後門要去倒垃圾時，和一名抱著大型包裹的女子擦肩而過。當時天色已晚，女子獨自出現在幾乎無人經過的地點十分奇怪。當他下班要回家時，發現前往嬰兒信箱的道路旁邊停了一輛車。那條馬路狹窄，那個時段一般也不會出現車子停在那裡。他於是趕緊抄下車牌號碼。

鎖定棄屍的母親

警方透過職員抄下的車牌號碼，很快便鎖定棄屍的是一名女子，隔天以棄屍嫌疑逮捕了她。

該名女子三十一歲，患有重聽；是一名單親媽媽，育有一子就讀小學。她和父母、孩子一同住在熊本縣。高中畢業後曾經在食品製造公司等公司工作，遭到逮捕時沒有工作。

該年二月，她用驗孕試紙發現自己懷孕。但是她連男方的姓名都不知道。

——沒結婚就生小孩，爸媽不知道會怎麼說。

女子的母親看著女兒肚子一天比一天大，懷疑她懷孕，建議她去醫院。女子卻謊稱「醫生說我生病了」。

她沒有錢上婦產科，自從發現懷孕以來也不曾去過醫院。最後決定獨力生產，生下來之後再與父母商量如何養育。儘管如此，她卻不曾查詢該如何自行生產。

小男嬰在生產過程中死亡

九月三十日早晨，女子在自己房間開始陣痛，於是前往浴室生產。她獨自生下一名男孩，小嬰兒出生時卻已經沒有呼吸。

——我得把屍體藏起來才行……

她擔心遭到父母發現，於是把屍體拿到停在自家的車子裡，用銀色的遮光布把屍體包起來。

驗屍結果發現男嬰死因是出生時陰道壓迫頭部導致顱內出血。肺部沒有膨脹，表示男嬰未曾呼吸過便死亡。

屍體不能長期藏在車上，女子於是載著用遮光布裹起來的男嬰屍體，在產後第四天晚上前往慈惠醫院。

「希望有人祭拜小嬰兒」

女子遭到逮捕後接受調查，在偵訊過程中說明棄屍的理由：「我覺得死掉的小嬰兒很可憐，要是放進嬰兒信箱，或許會有人好好祭拜他。」

她以前就知道嬰兒信箱，因此生產不到四天便移動到熊本棄屍。

法官表示「行動未經深思，應當譴責。但是對待遺體的方式感受到身為母親的心意」，最後判處一年有期徒刑，有緩刑期間。

法官說完判決之後，直勾勾地凝視女子表示：「希望妳今後要永遠記得，讓父母與活著的孩子看到妳做為母親稱職的模樣。」

慈惠醫院理事長蓮田太二旁聽了這場官司，表示「要是早一點聯絡慈惠醫院，我們就能提供其他解決辦法。沒辦法和其他人商量，實在很可憐」。專家委員會也表示「深感遺憾」。

當事人十分後悔，告訴替她辯護的律師：「如果我能向父母坦承自己懷孕，孩子也許就不會死了。真想把他生下來，好好養大。」

「出獄後，我想去給夭折的孩子掃墓。」

不負責任的男人

採訪團隊在採訪過程中屢次目睹男方自私任性，從前文提及的案例中也隱約可見男方欠缺「我當爸爸了」的意識。

這句話不是主張懷孕生育的責任應該全部推到男性身上，而是懷孕生育的當事人明明有兩個，被迫獨自承擔一切，無法和他人同甘共苦的卻往往是女性。

「我是對方婚姻的第三者，男方叫我把小孩送去嬰兒信箱」、「丈夫反對我生下孩子」、「對方逼我打掉孩子」、「就算孩子生下來，對方也不願意承認父子關係」、「我懷孕之後就找不到對方了」、「對方不肯避孕」……這些問題要女方該如何獨力解決呢？

因此對於使用或是考慮使用嬰兒信箱的女性而言，嬰兒信箱是保護子女的最後一道防線。

評鑑報告指出，對於這些欠缺自己也是當事人意識的父親，應當促使他們「了解懷孕生育也是切身問題」，而非女性一人的責任，以及藉由教育扎根觀念的重要性。

第三章

生大於養？養大於生？

遇上送來嬰兒信箱的小女孩

「你們有沒有意願再收養一個孩子呢？」

四十多歲的佐佐木浩輔（化名）和妻子美希是在小女孩一歲多時收到嬰兒之家的聯絡。兩人是當地兒童諮詢所登記有案的收養家庭。由於結婚很久卻一直沒有孩子，於是收養了一名念幼稚園的小男孩。

等到育兒變得輕鬆一點時，兩人自然談起「這孩子要是有弟弟或妹妹，一定很開心吧！」

兩人在假日午後造訪收容小女孩的嬰兒之家，對方向他們介紹在遊戲室玩耍的明日香（化名）。一聽到兩人向自己打招呼，便露出天真可愛的表情，一點也不怕生。圓滾滾的眼睛令人印象深刻。她走路還不太穩，搖搖晃晃地追著滾到地上的玩具更是逗人喜愛。

兒童諮詢所的窗口告知他們明日香出生沒多久就來到嬰兒信箱，過了一年多還是找不到是誰把她送來嬰兒信箱，也不清楚她在哪裡出生和來到嬰兒信箱的理由等細節。

當初院方發現時，嬰兒信箱的保溫箱裡已經睡了一個用毛巾裹起來的小嬰兒，裡面夾了一張紙條，上面寫著「明日香」。小嬰兒身上還有臍帶，推測母親未曾前往醫療院所，而是孤立生產。

「希望這孩子在充滿愛的環境下成長」

佐佐木夫妻接納明日香的一切，答應當她的寄養家庭，並且下定決心總有一天要收養她。儘管雙方沒有血緣關係，兩人光是看到她稚氣的笑容就決定要以豐沛的親情養育她。

明日香住在嬰兒之家，和佐佐木一家交流半年多才正式搬進佐佐木家，開始一家四口的生活。由於她出生沒多久便離開父母，夫妻倆特別重視擁抱等肢體接觸。明日香個性開朗，立刻融入新家庭，也和年齡有些差距的哥哥打成一片。

浩輔與美希打算倘若明日香和自己相處融洽，要在她上幼稚園時正式收養她。

婦產科醫師的心願掀起輿論熱議

日本的收養制度是在一九八七年修正《民法》之後，才變更為以優先保障兒童的利益與福利為目的。

過去的收養制度稱為「普通養子緣組」，戶口名簿上是生父母與養父母並列；兒童就算出養到其他家庭，與生父母在法律上依舊是親子關係。修法後的收養制度稱為「特別養子緣組」，兒童與生父母不再有任何關係，戶口名簿上和親生子女一樣註記為「長子」、「長女」等等，而非「養子」。

一九七三年曝光的「菊田醫師事件」促使日本政府大幅修正收養制度。

菊田昇是在宮城縣石卷市開業的婦產科醫生，他勸阻想要墮胎的孕婦，並且媒合想要小孩的夫妻收養這些本來不會來到人世間的嬰兒。

他明知自己的行為違法，卻還是冒著可能失去執業資格的危險，偽造出生證明，協助生母隱瞞生產的事實，在生父母一欄填入養父母的姓名。

診所成立十年以來，他媒合了一百多名嬰兒到想要收養孩子的家庭。生父母無法養育子女各有不同的理由。他之所以犯法也要媒合是基於強烈的信念，一心一意想保護這些本來會因為墮胎或是放棄育兒而犧牲的孩子。

他的行動同時拯救意外懷孕而走投無路的母親，和不孕導致無法生兒育女的夫妻，在世人心中留下強烈的印象。

為了挽救兒童的生命，他持續要求國家修法，最後也由於他的努力促使日本政府加入對話討論，終於催生出現行的收養制度。

收養的過程艱辛漫長

收養制度是承認沒有血緣的夫妻與兒童成為「一家人」，過去收養的目的往往是尋找繼承人或是希望晚年時有人照顧。換句話說，是為了成人所制定的制度。

另一方面，現行的收養制度則是把受到虐待，或是原生家庭受限於經濟問題無法養育的孩子交給新的家庭，讓他們得以在穩定的環境中成長。解除和原生家庭的關係是為了避免將來發生繼承相關問題，也能幫助養父母隱瞞收養的關係。因此不僅保護孩子，也為養父母著想。

最關鍵的是這個制度是「為了孩子」，而不是為了想要孩子的成人。因此想要收養孩子的夫妻必須通過嚴格的審查，收養之前也必須完成許多手續。

現行的收養制度和過去菊田採取的媒合方式一樣，先由負責媒合的機構確認生父母的意願，確認生父母同意後再進行下一步。目前負責媒合的是兒童諮詢所、民間媒合團體與部分醫療機構。最後聲請家事法庭認可，由家事法庭裁定可否收養。

因此「收養無人照顧的孩子，當作親生子女對待」並不是能夠輕鬆實現的心願。透過兒童諮詢所媒合者，必須先向地方政府登記，成為「以收養為前提的寄養家庭」。登記時由兒童諮詢所審查是否適合撫養兒童。除了個別面談，還必須參加各項研習，例如與已經收養小孩的家庭一起參加工作坊，或是學習在嬰兒之家等安置機構生活的兒童是何種狀態等等。

另外，日本政府規定收養家庭必須夫妻其中一方為二十五歲以上，收養的兒童基本上不滿六歲。

日本近年來開始出現地方政府承認同性伴侶為「相當於婚姻的關係」，核發「伴侶宣誓書」。然而法律尚未承認同性婚姻，《民法》又規定收養條件為「有伴侶者」，因此目前同性伴侶無法收養。

另一方面，大阪市政府於二〇一六年首次認可男性同性伴侶當寄養家庭，成為全國創舉。當前社會開始討論同性婚姻與理想的育兒方式等議題，展開對話，今後的動向值得矚目。

然而即使符合法律規定，接受必要的研習，又向地方政府登記為寄養家庭，還是無法馬上收養孩子。

以兒童諮詢所媒合者為例，寄養家庭必須在輔導員陪同之下，和住在嬰兒之家或兒少家園的兒童見面，花上數週或數個月與這些由於生父母育兒困難而出養的孩子交流。

輔導員會在交流期間觀察兒童與寄養家庭相處時，身心狀態是否穩定。同時確認生父母的確願意出養，才會正式決定「委託寄養」。

「委託寄養」是寄養家庭與兒童在自家一起生活，進入為期六個月的「試養期」。有些孩子到了寄養家庭會比在安置機構更為任性或是哭泣不已。這些行動稱為「試探行為」，藉由讓寄養父母不知所措來確認「這些人真的會接納我嗎？真的愛我嗎？」。

這六個月不僅觀察親子是否契合，也是寄養家庭的夫妻面對自我，認真思考自己是否適合當家長的時期。

收養難以普及

試養期結束後，進入正式收養的階段。寄養家庭向家事法庭聲請認可。家事法庭裁定許可者才能登記戶口，正式成為一家人。

倘若收養家庭提出要求，兒童諮詢所日後也會繼續輔導。部分地方政府設立輔導窗口，提供諮詢服務，例如何時告知小孩是養子或是解答其他養父母特有的煩惱。

儘管以收養為前提的寄養家庭（日文稱作「養子緣組里親」）、暫時收容兒童的寄養家庭（日文稱作「養育里親」）和收容多名兒童的寄養家庭（日文稱作「Family home」）日益增加，根據厚生勞動省於二〇一七年調查的統計結果發現失去父母或是家境貧困、受虐而需要安置的兒童多達四萬五千人。

這四萬五千人當中，僅六千五百名兒童是與寄養家庭生活。近五年來，每年成為養子的孩子僅五百人左右。住在安置機構的兒童約莫三萬人，近乎整體的六成；至於住在寄養家庭的孩子則不到二成。

另一方面，受虐兒的人數卻與日俱增。

日本全國的兒童諮詢所於二〇一六年度一共受理了十二萬二千五百七十五件受虐報案，創下新紀錄。受虐致死的案件層出不窮，新生兒犧牲的案例也有增加的趨勢。

過去兒童諮詢所傾向把反覆遭到虐待的孩子帶離家長身邊，由安置機構收容。

相較於此，卻未曾積極輔導受虐兒撫平心傷，援助育兒困難的父母好讓孩子儘快回到原生家庭，或是推廣寄養、收養家庭，以便兒童能在新環境成長茁壯等等。結果導致安置機構收容人數日益增加，利用收養家庭此類，讓孩子在健全家庭中成長的制度卻遲遲無法普及。

圖表 3-1　兒童諮詢所的虐兒案件諮詢件數與變化

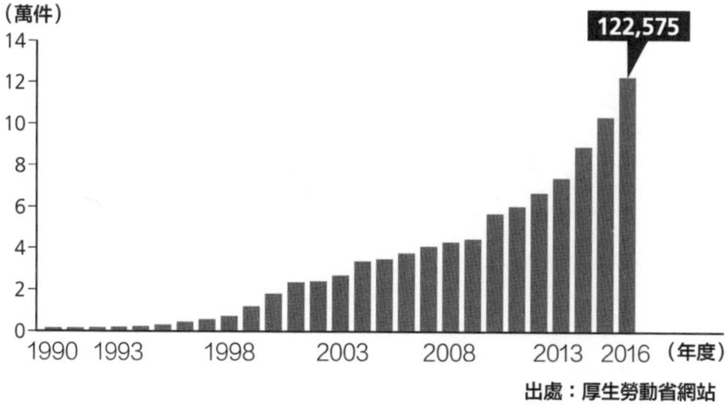

出處：厚生勞動省網站

住在安置機構的兒童

日本的嬰兒之家基本上收容零～二歲兒童（有時年齡層延長至學齡前兒童），兒少家園收容三歲～十八歲兒童。根據厚生勞動省統計結果，全國的嬰兒之家截至二〇一七年三月底共一百三十八間，兒少家園為六百一十五間。兩者數量都年年增加。

收容人數為上限的七到八成，不少地區的機構都住滿了兒童。收容理由多半是家長虐待。嬰兒之家約四成，兒少家園約六成是受虐兒。收容年數平均約五年。法律規定出養兒童基本上必須未滿六歲，機構裡卻不少孩子打從新生兒時期便在機構與原生家庭之間來來去去，長達十年以上。

採訪團隊前往熊本縣的嬰兒之家採訪時看到房間裡擺了十張嬰兒床，小嬰兒在裡面睡得又香又甜，也有些嬰兒在工作人員懷裡喝奶。一～二歲的孩子在隔壁房間與工作人員玩耍，大家看起來精神奕奕。

我們在工作人員的引導下走進房間，孩子紛紛跑過來。這個年齡一般會怕生了，他們卻毫不猶豫地坐上我們的膝蓋或是撫摸臉龐。接觸的方式像是對待熟悉的家人。這些孩子臉上綻放無憂無慮的笑容，模樣實在很可愛。我們暫時與他們玩了一會。

其中有些孩子或許是因為看到陌生的大人，默默待在房間角落獨自玩耍。但是過了一陣子便走近我們，不知不覺間握住我們的手。另一方面，也有一些孩子從頭到尾都對我們沒興趣。

嬰兒之家的工作人員告訴我們：「不曾和父母或是特定的成人建立起信賴關係的孩子由於缺乏心靈支柱，會為了引人注意而舉止過度親切，或是特意避開以免情緒受到影響。受虐兒身上尤其容易看到這種現象。」

這些孩子來到安置機構的理由包羅萬象，包括受到家長虐待、家境貧困與父母罹患精神疾病，無法自行育兒等等。許多安置機構是員工以排班方式輪流照顧孩子，這間走小規模路線的安置機構位於公寓中，儘量安排特定的成人來照顧兒童。數名員工會在公寓裡過夜，二十四小時與孩子一起生活。

我們也採訪了另一間位於熊本縣的兒少家園，是由三名女性員工與多名兒童一起住在二層樓的獨棟房子。兒童年齡橫跨小學到高中。這些孩子每天從機構去上學，下課後回到機構和員工、其他孩子一同用餐。小學生會請教高中生不會寫的功課，高中生也會唸書給小學生聽，或是一起洗澡。

無論是受到家長虐待還是家境貧困，這些無法在原生家庭成長的孩子進入安置機構，生活數年甚至十年以上。有些孩子預定過一陣子要搬到寄養家庭。由於生活環境穩定，這些孩子給人的印象是個性開朗，健康活潑。

這間兒少家園住了兩名高中生，國中小的孩子叫他們「哥哥」、「姊姊」。他們翻閱攤在桌上的評量，一邊說：「我想上大學，得更認真用功才行。」

兒童安置處遇方式落後世界其他國家

此類由特定的成人養育少數兒童的設施在日本日益增加。二〇一六年修正的《兒童福利法》首次規定必須在類似家庭的環境中養育兒童，以利從新生兒時期與特定的成人建立信賴關係，培養健全的身心。

日本政府的目標是在七年之內把未滿三歲的兒童寄養委託率提升至75%，並且預定在十年之內小型化所有安置機構。不僅如此，收養件數還要增加到一年一千件。因此從二〇一八年度起協助民間的收養媒合團體，同時開始討論是否要提高出養兒童的年齡限制。

日本政府之所以要把安置環境從機構轉換為居家是因為飽受國外批判。在日本，受虐兒等需要安置的兒童多半是由安置機構收容，歐美等國家則是積極推動寄養家庭等居家式的安置。日本在寄養與收養方面發展落後，因此長期以來遭到歐美國家批評忽視兒童權益。

聯合國也表示「機構安置是最終手段」，並且在二〇一〇年強烈指責日本政府「居家型」的安置措施不足是「政策有所缺失」。

在此情況下，日本政府終於採取行動，積極推動家庭寄養與收養。

另一方面，面對政府的新作法，生父母的心情十分複雜。某位安置機構的員工在採訪時表示：

「不少生父母希望孩子儘量在安置機構待久一點，不願意交給寄養家庭。這些家長想定期探訪孩子，打算總有一天要把孩子帶回家，所以拒絕把孩子交給寄養家庭。」

日本政府想要達成目標必須跨越許多門檻。由於受虐等因素而心靈受傷的孩子享有健康茁壯的權利。為了保障這些孩子的權利，政府必須正視多數孩子所處的現況，傾盡全力完成這項目標。

嬰兒信箱收容的孩子後來怎麼了？

本節介紹送來嬰兒信箱的孩子之後所面臨的情況。

根據二〇一七年九月公布的評鑑報告，成立十年以來，一共收容了一百三十名兒童，其中查明身分者共一百零四人。截至同年三月，進入嬰兒之家等安置機構者共二十五人，由寄養家庭撫養者共十七人，由原生家庭領回者二十三人，正式成為養子者三十三人。「其他」指的是由祖父母等生父母的親屬領回。

值得注意的是積極媒合身分不明的孩子出養。查明身分者共一百零四人，身分不明者為二十六人。分析兩者的安置情況可知後者出養的比率占整體的半數以上。

有好幾個案例是嬰兒信箱收容後暫時棲身於安置機構，後來前往寄養家庭由寄養家庭收養或是正在進行收養手續。收養的條件之一是要獲得「生父母同意」。但是從這些案例可知，儘管缺乏生父母同意，還是會委託寄養家庭或是推動收養，好讓兒童在穩定的環境下健全成長。

生父母突然出現

然而部分身分不明的兒童委託給新家庭的案例卻面臨了意想不到的變化。以本章開頭介紹的佐佐木夫妻為例，他們在收養明日香的過程中就面臨了曲折複雜的意外。

自從明日香來到佐佐木家，夫妻倆過了兩年忙碌又充實的育兒生活。調皮搗蛋的明日香和年齡稍微有點距離的長子打成一片，親戚和鄰居也很疼愛她。

她滿三歲後開始上幼稚園，交到新朋友，每天和同學開心玩耍。對於佐佐木夫妻而言，明日香是心愛的寶貝女兒。

當初夫妻倆是以收養為前提當寄養家庭，原本就打算相處融洽的話要在明日香上幼稚園時正式收養她。然而正當他們要申請收養時，卻接到了出乎意料的通知。

圖表3－2

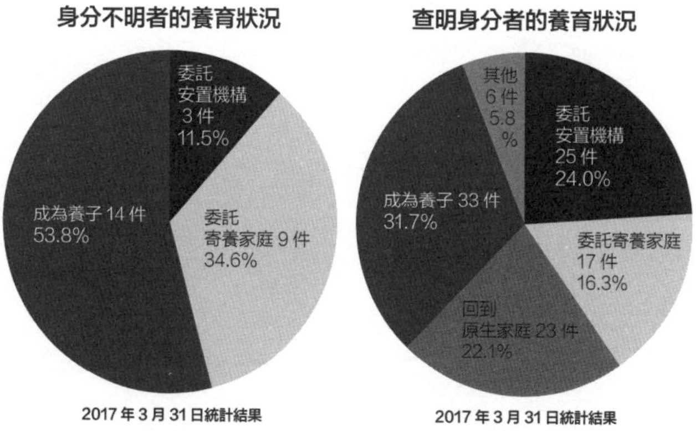

據說當初原本遍尋不著和明日香身分有關的線索，三年之後卻突然出現一名男子找上兒童諮詢所，表示自己是生父並且「想把孩子帶回家」。面對如此重大的事件，兒童諮詢所的輔導員卻只表示「希望你們先別急著辦收養明日香的手續」。

寄養家庭的煩惱

當浩輔接到兒童諮詢所打電話通知明日香的生父出現時，他發現自己的雙腿在顫抖。

——明日香之後會何去何從呢？我們本來把她當作家庭的一分子，用心栽培照顧。要是確定得由陌生的大人領回家，不僅得離開佐佐木家，還得告別熟悉的幼稚園老師和同學。她一定會大哭大叫，拒絕抵抗吧！

光是想到明日香幼小的心靈受到打擊，浩輔的淚水不禁奪眶而出。他本人也無法輕易接受得把當作親生女兒疼愛的明日香交給其他人。

明日香總是呼喚浩輔「爸爸」，一邊黏上來。浩輔每天都得一大早出門上班，就算是寒冷陰暗的冬日早晨，明日香也一定會起床目送他出門：「爸爸路上小心，今天幾點回家呢？」一想到原本共享的親子時光可能會突然中斷，他便感到胸口一緊，難以承受。

另一方面，他也重新認識到「我們不過是寄養家庭」。他不斷告訴自己：「要是明日香的生父母想親手撫養，我們就得二話不說，把孩子送回去。這就是寄養家庭該有的心理準備。」

終於明白身分來歷

然而冷靜思考便會明白找到生父母還是一件好事。原本嬰兒信箱和兒童諮詢所缺乏線索推測明日香的身分。現在終於明白她是在哪裡出生，生父母又是為什麼把他送到嬰兒信箱。

打從明日香懂事以來，佐佐木夫妻便告訴她彼此沒有血緣關係。雖然她現在年紀還小，不明白究竟聽得懂多少。然而隨著年齡漸長，或許有一天會想尋找親生父母，渴望明白自己究竟來自何處。

夫妻倆籠統想像過，倘若有一天明日香想要見親生父母一面，他們卻因為不清楚她的身分來歷而一籌莫展，束手無策。這種時候該怎麼跟她解釋呢？要是連一絲一毫值得提起的線索都沒有，未免也太可憐了。

儘管生父母出面解決了無法交代身世的問題，生父表示想把明日香帶回家，代表佐佐木一家可能得和她分開。夫妻倆心情複雜，忐忑不安了好幾天。

號稱是生父的男子出面後，兒童諮詢所也採取了行動。首先確定男子是生父後，明日香的住民票[4]從佐佐木家遷至兒童諮詢所，又遷回生父母家。

知道明日香的本名之後，她的健保卡和醫院掛號卡也都改為生父的姓氏。幼稚園雖然讓她繼續以「佐佐木」的姓氏上學，去小兒科就診時，醫院總是以生父的姓氏呼喚明日香。佐佐木夫妻每聽一次，就得承受一次打擊，接受「明日香不是自己的孩子」的事實。明日香當然不知道究竟發生了什麼事，當她詢問夫妻倆為什麼醫院要用陌生的名字呼喚自己時，他們啞口無言，無法回答。

4 譯注：類似台灣戶口名簿。

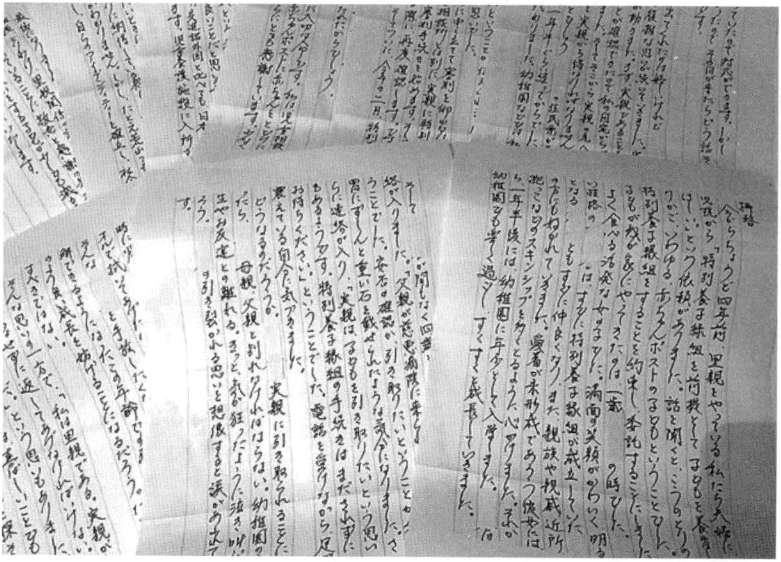

佐佐木寄給節目的信件寫滿了九張信紙。

害怕穩定的環境遭到破壞

兒童諮詢所告訴浩輔，明日香的生父母是住在關東地區的年輕夫妻，兩人除了明日香還有其他孩子。當年生母發現懷上明日香時，正值生父失業，手頭拮据，光是養活眼前的一家人都有問題。夫妻倆思考兩人無法撫養即將到來的小生命，於是把剛出生的明日香送到嬰兒信箱。

當初留下寫了「明日香」的字條，或許是打算找到工作，生活穩定之後再去把她接回來。

儘管如此，兒童諮詢所也沒想過居然會有父母送來三年後才出面領回。當初委託佐佐木夫妻收養明日香的輔導員認為佐佐木家環境穩定，夫妻倆用心照顧明日香。因此對於明日香而言，待在原本的環境繼續生活是最好的作法。

儘管輔導員判斷明日香留在佐佐木家最好，卻還是請浩輔稍後再申請收養。這是因為寄養父母的角色不過是暫時收容照顧兒童，親權還是在生父母手上。倘若生父母想把孩子帶回家，原則上必須尊重他們的意願，把孩子交給他們。

因此明日香倘若想繼續待在佐佐木家，必須先取得生父母同意方能進行收養手續，把親權轉移到浩輔與美希手上。

親權究竟該交給生父母還是養父母呢？

兒童諮詢所考量明日香的生父母當年把小孩送進嬰兒信箱的理由，建議他們為了孩子好，應該把孩子出養，交給佐佐木夫妻。雙方討論一年之後，生父母終於接受把明日香交給佐佐木夫妻。

能否收養必須聲請家事法庭認可

儘管如此，佐佐木夫妻還是無法放下心來。因為他們要和明日香正式成為一家人，必須聲請家事法庭認可，由法院裁定可否收養。

家事法庭接到民眾聲請收養，審理的第一步是確認生父母是否同意出養，遷移戶籍時也會再次確認生父母的意願。此時生父母若是沒有異議，便算是完成最終確認。兒童諮詢所的輔導員雖然說服明日香的生父母為了小孩好應該要出養，然而倘若他們在費時半年的收養手續途中改變心意，明日香便得送回生父母身邊。

想到之後可能再也看不到明日香天真無邪，興奮地追在哥哥後面跑的模樣；再也聽不到她的笑聲與哭聲；再也不能擁抱她，佐佐木夫妻等待法院最終確認的兩星期，每天七上八下，靜不下心來。

當確定明日香的生父母不再改變心意，可以正式收養明日香時，佐佐木夫妻與其說是興高采烈，不如說是放下心中一塊大石頭。這下子真的成為一家人了。最重要的是明日香不用離開熟悉的環境，繼續待在佐佐木家平安成長。光是想到這點，眼淚便不禁奪眶而出。

日本的家庭觀重視血緣關係

浩輔經歷一番法律手續，終於正式收養了明日香。他很感謝兒童諮詢所的輔導員孜孜不倦，一步步說服明日香的生父母。

明日香的生父母匿名抛棄女兒，長期隱瞞身分，有一天才突然出面說要把女兒帶回家。每次想起此事，浩輔依舊心情複雜。

——這對父母實在太自私了。

父母為了自己方便，匿名抛棄孩子，等於自行放棄了當父母的義務。儘管如此，浩輔還是很感謝他們是把明日香放進嬰兒信箱，而不是隨便丟在路邊。

兒童受虐致死或放棄育兒的案件層出不窮，浩輔認為如果類似嬰兒信箱的設施能普及到全國，應該能拯救更多兒童的生命。從他不清楚明日香的來歷便願意當寄養父親開始，便一直抱持這個想法。

然而想像孩子日後成長，總有一天得面對「不知生父母是誰」的煩惱，他便覺得匿名遺棄子女不過是父母貪圖自己方便罷了。他實在無法接受法律如此保障生父母的親權。

佐佐木夫妻決定當寄養父母時，沒想過會遇上生父母突然出面。所幸兒童諮詢所告訴生父母明日香在寄養家庭穩定成長到三歲，最後終於說服生父母放棄親權，使得佐佐木夫妻得以收養明日香，成為真正的一家人。

倘若生父母堅持一定要帶回孩子，行使親權，兒童諮詢所和寄養家庭只能尊重生父母的意願。日本社會的家庭觀還是十分傳統，重視血緣關係。儘管寄養家庭或兒童諮詢所認為孩子交給生父母無法獲得妥善照顧，家事法庭還是可能把孩子判給生父母。

——該保障的難道不是孩子的未來嗎？

儘管浩輔現在和女兒過著幸福的生活，一想到曾經送到嬰兒信箱的孩子所背負的命運，他還是無法釋懷。

幾乎無人聲請終身褫奪親權

然而實際上的確發生過度重視生父母親權，導致兒童成長環境受到影響的案例。

例如未婚媽媽京子（化名）把出生沒多久的孩子送到嬰兒信箱時，馬上被慈惠醫院的護理師叫住。對方用心傾聽她訴說「家境貧困，無法養育子女」。她後來和家鄉的兒童諮詢所多次討論，最終決定把孩子交給嬰兒之家，等到她經濟狀況穩定之後再領回。

兒童諮詢所的輔導員也確定京子的雙親在孫子回家之後願意協助育兒，因此決定持續支援她，好讓她之後能把孩子接回家。

然而六年之後，小孩依舊住在兒少家園，京子每個月會去探望孩子一兩次。她表示「感受到孩子成長的喜悅」，卻也向我們坦承「實在不覺得自己做好接孩子回來的心理準備，養育環境也有待改善」。

其實不僅是嬰兒信箱收容的孩子，因為父母虐待等問題而住進安置機構的兒童，只要父母表示「總有一天要把孩子帶回家」、「不想把孩子交給寄養家庭」，就必須尊重其「親權」。因此許多兒童往往跟京子的孩子一樣，不得不長期住在安置機構。

《民法》規定的「親權」意指父母養育未成年子女所享有的權利與必須付出的義務，包含養育、教育、管教，以及管理住處和財產等。

另一方面以管教為名，實則施暴或是放棄育兒等情況屬於虐待兒童，親屬等人可以向法院申請取消其親權。這種制度稱為「終身褫奪親權」。

然而終身褫奪親權代表永遠剝奪父母的親權。許多受虐兒的案例由於擔心影響之後家庭重整，幾乎無人申請要求「終身褫奪親權」。

在此情況之下，日本政府為了保障兒童安全，於二〇一一年修正《民法》的親權規定，除了終身褫奪親權之外，新增「停止親權」的制度，用來暫時中止虐兒或是放棄育兒的父母親權。中止時間最長二年。家長必須在二年之內改善行為或養育環境，方能再度與孩子一同生活。這正是修法的用意。

根據最高法院統計，二〇一一年之前聲請「終身褫奪親權」的件數介於一百～一百五十件。《民法》修正之後件數倍增，二〇一六年時全國聲請件數高達三百一十六件。其中確定終身褫奪親權者二十五件，停止親權者八十三件，為史上最多。

遺棄之後親權還是在生父母手上

許多國家對於虐待、遺棄兒童或是放棄育兒的父母，並未詳細規範其親權該如何處理。

美國與法國的作法是孩子遭到遺棄一年後，家長並未出面或是行蹤不明者取消其親權。至於嬰兒信箱的發祥地德國的作法則如第四章詳述，八星期之內未出面者終身褫奪親權。無論是哪一個國家，採取的作法都是儘快出養兒童，為兒童建立新家庭。

日本為什麼不能採取相同的行動呢？

非營利法人防止虐兒協會的理事岩佐嘉彥律師非常熟悉親權問題，他指出日本的親權問題在於「儘管制度規定可以暫停生父母的親權，把小孩帶到安全的地方安置，法院往往無法果斷終身褫奪或限制親權。制度本身進一步保護孩童的生命，第一線人員卻無法徹底執行」。

目前終身褫奪親權的制度無法完全發揮效果，因此岩佐最擔心的是父母遺棄孩子之後卻還是擁有親權一事。

「以嬰兒信箱為例，父母無須負起遺棄的刑責，降低事後出面的門檻。我認為必須以其他國家為模範，制定方針，規定過了一定時間就採取下一步行動，而非一昧等待不知何時才會出面的父母。嬰兒信箱繼續這樣營運下去，十分可能損害這些孩童的權益。」

以明日香為例，她的父母拋棄了她，由佐佐木夫妻養到三歲才出面要領回女兒。面對這種拋棄了孩子卻又在數個月或是數年後冒出來的父母，該如何處理其親權問題呢？保護孩子的路上還聳立了許多單憑法律解釋無法解決的問題。

生大於養？養大於生？

山梨縣立大學教授西澤哲是節目來賓之一，他認為嬰兒信箱收容的兒童當中有二成事後回到父母身邊（請見頁135圖表3-2），人數未免「太多」。

他對於兒童諮詢所的處理方式感到懷疑：「曾經把孩子送到『送子鳥搖籃』代表拋棄過孩子一次，我認為遺棄比虐待和放棄育兒還過分。出面了就把孩子還給父母是否太輕率了？」

有些聲音認為兒童還是由親生父母養育最好。但是不能忽略的是這些孩子曾經遭到父母遺棄。他們在寄養家庭安穩生活了好幾年，有一天卻被迫離開熟悉的環境，承受生活出現劇烈變化。在這種情況下，他們又會怎麼想呢？

西澤是輔導受虐兒的專家，他站在兒童的立場提議：「這種情況會導致孩子心靈多次受傷，甚至造成無法挽回的傷害。每個人的情況或許不同，不過還是必須積極推動收養制度，建立新的親子關係，由周遭協助打造益於成長的穩定環境。」

他認為過去是由兒童諮詢所帶領眾人執行兒童福利，現在應該給予孩子更多選項。這些選項當中，寄養家庭優於安置機構，收養家庭又優於寄養家庭。

由養父母收養最好，是因為兒童必須生活在感受得到家庭溫暖的穩定環境，才能健全成長。

為了讓所有兒童都能健康成長，必須改變以成人的觀點而制定的制度、體系與法律。

第四章

誰來協助孤立無援的母親？

社會中的弱勢

前面的章節介紹把孩子送到嬰兒信箱的各類案例與家長背景。相信不少讀者看到父母貪圖方便的案例，一定非常憤怒。採訪團隊也是抱持相同心情。

另一方面，為什麼這些人在走到嬰兒信箱這條路之前都不曾想過要向周遭的人求助呢？本章要來探討這個問題。

日本TBS電視台於二〇一五年推出（中文版為KKTV獨家播出）的醫療連續劇《產科醫鴻鳥》獲得廣大迴響，其中第一季第一集〈我們的生活中充滿奇蹟〉中有一幕正是孤立無援的典型例子。

針對醫院是否要接收不曾接受產檢的孕婦，年輕的小兒科醫師白川領和前輩醫師今橋貴之有過一番對話。

白川：「一般來說再怎麼窮，懷孕了至少會做個產檢吧！」

今橋：「你口中的『一般』其實是一群幸運兒。所謂窮不是沒有錢而已，因為窮，所以沒受過教育，缺乏資訊，身邊也沒有家人和朋友陪伴，最後事到臨頭了才跑來醫院生產。」

對於院方而言，不曾接受產檢代表不清楚懷孕週數，更不知道是否罹患傳染病。為這樣的孕婦接生，必須承擔相當風險。然而連續劇主角鴻鳥櫻認為「孕婦肚子裡的新生命是無辜的」，所以決定接生。

責備孕婦產前從未接受產檢是「不負責任」很簡單。然而如同今橋的台詞所示，現代社會還是存在一群人生活達不到「一般」水準。

本章要聚焦在這些弱勢族群身上。

生活窮困影響懷孕生產

厚生勞動省於二〇一六年進行國民生活基本調查，發現日本在二〇一五年的「相對貧窮率」為15.6%，代表每六個人就有一個人的收入低於貧窮門檻。

「相對貧困」不同於「今天就沒飯吃」的「絕對貧困」，呈現的是先進國家的所得差距。以日本為例，二〇一五年的年薪中位數為日幣兩百四十五萬元。年薪為中位數一半以下，也就是低於日幣一百二十二萬元者算是生活在貧困線之下。

順帶一提，根據經濟合作暨發展組織（Organisation for Economic Co-operation and Development, OECD）的最新資訊，三十五個成員國當中相對貧窮率最高者為以色列，其次是愛沙尼亞與智利等國，而日本排名第八。

根據前文提及的厚生勞動省調查，分析調查對象（發生震災的熊本縣除外）對於經濟狀況的自評，發現回答「生活艱苦（非常艱苦，有點艱苦）」者占56.5%。雖然連續兩年比例降低，還是有半數以上的日本家庭感覺貧窮。

另外，進一步分析回答「艱苦」的家庭類型（熊本縣除外）發現「有小孩的家庭」占61.9%，「單親媽媽撫養小孩的家庭」更是高達82.7%。由此可知，未婚生子以及懷孕時生活窮困的女性難以安心生育小孩。

無法取得資訊的孕婦

回到本章開頭引用的連續劇情節，對於孕婦而言，無法取得「所需資訊」會導致何種後果呢？

《母子保健法》規定孕婦有義務要向所在地的地方政府通報懷孕，通報時取得「母子保健手冊」，俗稱「母子手冊」。手冊用來記錄孕婦、胎兒以及產後兒童的健康狀態。[5]

領到母子手冊之後可以前往婦產科等醫療院所接受產檢。法律並未規定接受產檢是義務，不過政府鼓勵孕婦在生產之前定期接受檢查，確認自己與胎兒的健康狀態。

厚生勞動省希望婦女在懷孕初期到生產期間接受「約十四次」產檢，因此母子手冊中附上產檢費用的補助券。

根據厚生勞動省的調查，全國產檢的補助金額平均為日幣十萬兩千零七十九元，金額依地區而有所不同。山口縣補助十一萬九千零二十九元，金額最高；神奈川縣補助六萬九千六百四十四元，金額最低。各地補助金

5 譯注：台灣的情況是分為「孕婦健康及衛教手冊」（俗稱「媽媽手冊」）和「兒童健康手冊」。前者是向產檢院所領取，後者是由國民健康署印製發放。

額相距過大也是個問題。但是除非需要特別檢查或治療，否則產檢基本上都近乎免費。

至於生產所需費用，厚生勞動省調查結果為全國平均自費額約日幣五十萬元。加入地區保險[6]或是受雇者保險[7]者，可獲得生產補助金日幣四十二萬元。

此外，《兒童福利法》第二十二條〈住院助產制度〉規定孕婦若是由於生活貧困而無法住進醫院或助產設施，可以領取補助金。低收入戶則是根據「生產扶助」制度，領取生產與住院費用。儘管制度如此充實，需要的人不知道這些制度就一點意義也沒有了。倘若所有女性都能獲得這些援助母嬰的重要資訊，至少能夠降低因為手頭拮据而放棄產檢的人數比例。

不曾產檢帶來的風險

不僅如此，要是所有孕婦都能明白產檢的重要性，不產檢的人數應該也會減少。

6 譯注：類似台灣的全民健康保險。

7 譯注：類似台灣的勞保、公保、農保等等。

女性在懷孕之後會大量分泌分娩所需的賀爾蒙，身體出現大幅變化。體重增加太多也可能引發妊娠高血壓或是妊娠糖尿病等高風險疾病，需要特別留意。

產檢的目的是儘早發現這些症狀，由婦產科醫師、助產士、護理師診斷孕婦的身體狀況，針對日常生活給予無微不至的建議。同時配合孕婦的健康情況，檢查是否罹患子宮頸癌或病毒篩檢，確保孕婦能平安生產。產檢時也會檢查胎兒發育狀態與是否罹患疾病。醫師或助產士參考檢查結果，思考何種分娩方式較為安全，生產之後也能安排與小兒科醫師合作。

懷孕期間還可能出現許多問題，例如懷孕三十週之後嬰兒的頭部依舊朝上稱為「臀位」，胎盤位置過低，位於子宮頸管開口處稱為「前置胎盤」；傳染病的病菌可能經由子宮傳遍全身，甚至影響到胎兒。除非接受產檢，否則無法早期發現，給予適當治療。

目前日本的醫學技術日新月異，二〇一六年孕婦死亡人數為三十四人，死亡率為十萬人中約三點四人（出處：國立社會保障與人口問題研究所《人口統計資料集》）。儘管死亡率之低在全球數一數二，卻也並非無人死亡。應透過學校教育，教導學生懷孕生子可能引發多重風險，告知產檢的必要。

許多孕婦其實是臨盆才前往醫院

然而許多隱瞞懷孕的女性實在無法鼓起勇氣，前往公所領取媽媽手冊。部分孕婦甚至因為欠稅而猶豫究竟要不要去公所。

倘若這些人願意向公所的窗口求助，便能獲得生產相關資訊，公共衛生護理師等專業人士也願意傾聽她們的煩惱。但是這些在社會中孤立無援的女性卻抵達不了公所窗口，懷孕期間不曾接受產檢來保護自己與胎兒的生命和健康，等到走投無路了才趕往醫院。

日本全國只有大阪府政府調查過，分娩前從未接受產檢與臨盆之際才首次前往醫院的孕婦，調查結果顯示二〇一二年人數最多，之後人數年年減少。儘管如此，二〇一六年還是有二百二十八人。以比例來說，大阪府每三百零七位孕婦就有一人屬於這種情況。原因以「家境貧困」最多，占27%，其次是「缺乏相關知識」，占21%。由此可知，孕婦並未獲得與懷孕相關的正確知識。

在社會中孤立無援的族群

本章開頭引用連續劇《產科醫鴻鳥》中的一名角色今橋提到因為窮，所以「身邊也沒有家人和朋友陪伴」。本節要聚焦在這些人身上。

序章提到《今日焦點＋》請來是枝裕和當來賓，他在節目中呼籲應當協助這些社會網絡薄弱、缺乏鄰居或家人陪伴的母親。

他所拍攝的電影《無人知曉的夏日清晨》是以實際在巢鴨發生的事件為題材。一名單親媽媽原本靠打工獨力扶養四個孩子，交到男友後突然離家出走，再也不曾回家過。遭到拋棄的四個孩子開始自力更生。

真實事件中共有五個孩子，放棄育兒的情況也遠比電影情節更為悲慘。但是是枝拍攝電影的目的不是要批判放棄育兒的母親，而是現代社會並未對這些「沒受過教育、缺乏資訊、身邊也沒有家人和朋友陪伴」的女性伸出援手。

三菱ＵＦＪ研究顧問公司，針對育兒所做的調查「關於育兒支援政策調查二〇一四」中有一項是「育兒與其環境」，調查結果（圖表4-1）顯示現在透過育兒與鄰里交流的情況明顯減少。例如「當小孩一起玩時，會和對方閒聊」一題，二〇〇二年回答「會」的比例為81%，到了二〇一四年只剩47.5%。「小孩能暫時託給別人」同樣也是由二〇〇二年的57.1%大幅減少至27.8%。

尤其是都市居民和鄰居鮮少往來，由鄰里一同守護兒童的情況不再常見，愈來愈多家庭只能在孤立無援的情況下育兒。過去社區也是安全網之一，現在早已失去作用。

在這個人際關係急速稀薄的時代，不趕緊建立有效支援婦幼的制度，育兒困難的人口只會不斷增加，嬰兒信箱反而益發重要。

傾聽女性的聲音

慈惠醫院在成立嬰兒信箱之前，因應這種情況開設了二十四小時的免費熱線，提供懷孕生育的相關諮詢，希望能夠拯救這些孤立無援的女性。

慈惠醫院希望大家用不上「送子鳥搖籃」，所以在網頁上呼籲大家送

圖表 4－1　透過育兒與鄰里交流的情況（可複選）

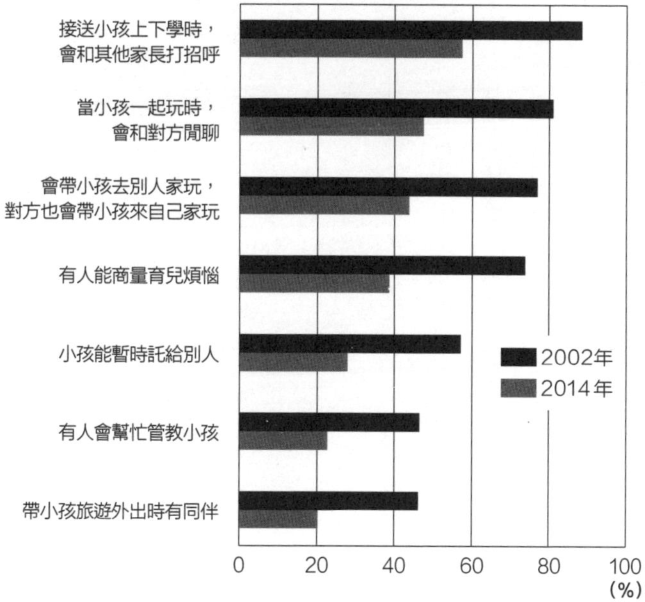

小孩來嬰兒信箱之前，「先找我們商量」。

諮詢熱線由醫院的護理師或專業諮詢人員負責，全年無休。啟用一個月以來，接到一百多通電話，數量還年年增加。

院方會把諮詢內容記錄下來，做成表單。這是因為同一個人往往打電話來諮詢好幾次，留下紀錄才方便回顧。

諮詢熱線成立八年之間，慈惠醫院的前護理部長田尻由貴子和其他諮詢人員一起接電話。她表示自己隨時隨地都攜帶手機，只要電話一響便馬上接起來。

每一位女性打電話來都是出於走投無路——「我懷孕了，但是沒錢養小孩」、「我不知道肚子裡的孩子是誰的」、「已經過了可以墮胎的時間，我該怎麼辦？」、「我還是國中生，可是懷孕了」、「我剛剛在家生下孩子」、「要是生了，我想把孩子送到嬰兒信箱」。

諮詢的件數也遠遠超過田尻的預想。不少女性告訴男方自己懷孕了，得到的回應卻是「去打掉」、「真的是我的小孩嗎？」，也無法向父母或朋友坦承懷孕，諮詢熱線是她們的救命稻草。

田尻表示自己接電話時特別留意不要一開始就想問出名字或住處。尊重對方「不希望任何人發現」的心情，認真傾聽，想辦法讓對方再次打電話來。儘管對話時小心翼翼，感覺對方需要持續支援，嘗試詢問姓名與聯絡方式時還是經常被掛電話。

她分享諮詢時的注視事項：「尤其是未成年少女，特別擔心身分曝光會被家長或學校發現。因此諮詢時要先強調『我們一起尋找解決辦法』，認真聆聽煩惱，分為多次對應。」

慈惠醫院的諮詢服務不僅限於免費熱線，有些案例是來到嬰兒信箱後和院方面談。例如無法下定決心打開嬰兒信箱，按下門扇旁的對講機求助，或是打開信箱之後看到裡面寫給父母的信，選擇回頭。

慈惠醫院的輔導員費盡心力想告訴這些來求助的女性：「嬰兒信箱不是唯一的辦法，還有很多選項。」

諮詢內容多元

評鑑報告顯示慈惠醫院在嬰兒信箱成立第一年度接獲的諮詢件數為五百零一件，到了二〇一六年度增加至六千五百六十五件，暴增十倍以上。開設十年以來合計超過二萬件（圖表 4-2）。

透過熱線尋求諮詢者近半數為二十～二十九歲，十～十九歲與三十～三十九歲各二成左右。

這些諮詢電話將近九成來自熊本市以外的縣市，換句話說，熊本市一家民間醫院的諮詢窗口承擔了來自全日本的煩惱。

諮詢內容包羅萬象，包括未婚女性意外懷孕、外遇導致懷孕、家境貧困、產後憂鬱與伴侶家暴等等。這些女性的共通點是沒有餘力生育孩子。

圖表 4－2　諮詢件數的變化（2007～2016年度）

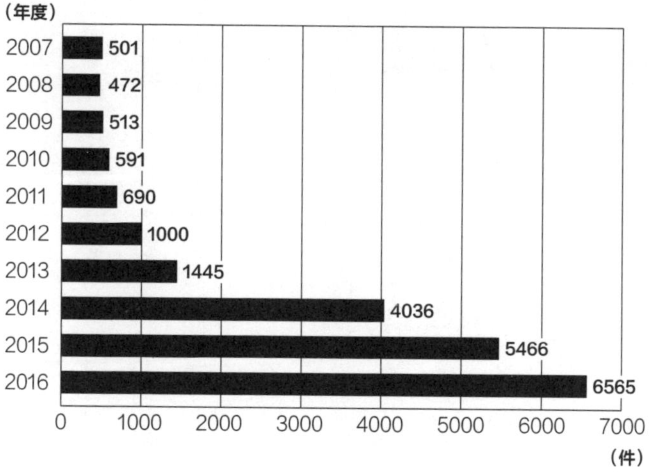

評鑑報告中記錄了實際的諮詢案例，以下彙整幾項案例：

案例 A

一對夫妻生下身心障礙兒童。主治醫生告訴母親「照顧孩子是父母的責任」，母親陷入精神障礙，由父親打電話求助。院方聯繫所在地的行政機關，協助夫妻把孩子送往照護中心。

案例 B

未婚女子懷孕後不曾接受產檢，打電話來諮詢，表示「不希望被父母或其他人發現」。院方聯繫所在地的公共衛生護理師，進行居家訪視。女子之後前往醫療院所接受產檢並生產。生產為剖腹產，嬰兒出生後進入加護病房接受治療。

案例 C

和孕婦同居的朋友打電話求助。表示沒有錢付不出房租，已經退租，開車移動時發現「孕婦開始打呼，呼喊姓名卻沒有反應」，請求院方協助。院方懷疑孕婦可能是妊娠高血壓，指示其友人叫救護車，之後孕婦由救護車送至醫院。

案例 D

女子分娩前從未接受產檢，在家中生下雙胞胎。其中一人出生時為臀位，沒有呼吸。院方接到求助電話，建議她前往醫院，並且聯絡所在地的警方。之後確定其中一名胎兒死亡，由警方展開調查。

案例 E

未婚媽媽打電話來表示無法繼續育兒，想把兩個孩子交給嬰兒信箱。她疲於育兒，身邊卻無人援助，向所在地的兒童諮詢所商量，對方卻表示：「妳沒有放棄育兒，我們不能接收小孩。」輔導員直接和母親見面，提供諮詢後聯繫當地兒童諮詢所。

案例 F

產後一個月的母親打電話來諮詢：「我好想死，小寶寶就交給你們了。」之後帶著孩子前往嬰兒信箱，醫院員工在她打開信箱門扇時向她搭話，帶領她接受面談。院方之後聯繫所在地的行政機關，女子在夫家援助下育兒。

案例 G

一名母親帶著兩個孩子前來嬰兒信箱，透過對講機表示「要保護孩子不受丈夫暴力傷害」。院方協助聯繫公家機關的家暴諮詢窗口，在警方陪同下與丈夫談判。

案例 H

女子逃離家暴伴侶後發現自己懷孕，在電話中向院方表示「無法養育孩子」。院方向她說明出養制度，並且建議家暴問題向警方求助，透過聯繫所在地的行政機關保護女子人身安全。女子因此放棄墮胎，選擇把孩子生下來。

全國各地都有可能需要嬰兒信箱的女性

田尻透過諮詢熱線感受到援助成果豐碩。由於多次傾聽對方訴說煩惱，提供建議，不少人最後放棄把孩子送來嬰兒信箱這條路。

「這些原本打算把孩子送來嬰兒信箱的女性如果改變心意，決定親手撫養，首先思考如何幫助她們取得男方、父母或親屬支援。如果身邊無人協助，改為如何安排她們取得低收入戶補助等社會福利……諮詢內容包羅萬象，需要針對個案情況細細思量。」

如此一來，對方往往會告知姓名與聯絡方式，便能提供支援方案。部分案例是諮詢之後告知男方懷孕或是與父母親友商量，決定親手撫養；也有些案例是透過公家機關轉介至安置機構，或是交給寄養家庭等等。

倘若事態緊急，即將生產，當下位於熊本縣的孕婦由慈惠醫院負責接生。倘若身處其他縣市，慈惠醫院也曾轉介外地的孕婦到所在地的醫院，由該醫院協助接生。公家機關很難做到這麼細膩貼心的對應。

田尻認為提供諮詢服務時，不僅需要用心聆聽對方當下的煩惱，還必須留意產後的生活，判斷對方需要何種長期援助。

當年接受她輔導的數名女性直到現在都還跟她保持聯絡。她和顏悅色地繼續回答：「當我收到當年本來打算墮胎的母親寄來幸福的親子合照時，真是打從心底覺得好險對方曾經打電話給我們。這些透過熱線前來求助的女性原本很可能會來到嬰兒信箱。希望大家能夠了解全日本有這麼多女性因為懷孕生育而煩惱，卻無法和其他人商量……」

立法制定諮詢窗口

自從得知慈惠醫院的諮詢熱線接到來自全國各地女性的求助電話，行政機關與其他民間團體也開始成立類似的諮詢窗口。

日本政府為了推動「從懷孕到育兒——長期不間斷的援助」，終於在二〇一七年四月開始修法，準備普設懷孕生育的諮詢窗口。然而時至今日，正式開設窗口的鄉鎮縣市只有三成多，比例低得驚人。這是因為法律規定地方政府僅需盡「努力成立的義務」，實際沒有成立也不會受到任何懲處。

只有非常少數的窗口做到慈惠醫院的等級——提供全年無休、二十四小時待命的免費諮詢熱線；負責接電話的輔導員都是專業諮詢人員、護理師和助產士等專家。

田尻表示：「我們不知道什麼時候會發生孕婦獨自在家生產等緊急狀態，所以各地地方政府必須早日成立二十四小時的專門熱線。」

離開慈惠醫院之後，她繼續待在熊本市，擔任輔導員援助女性。她提到需要的不僅是增加諮詢窗口，還得確保是由專業人士來負責。

「拯救母親與兒童的關鍵在於，輔導員是否足夠了解這些走投無路的母親，能否站在她們的角度為她們著想。這些母親當中，不少人光是聽到『公家機關的窗口』就已經怯於聯絡了。第一步應該是體諒這些打電話來求助的女性，不要強逼她們報上姓名。」

難以推動支援母親的制度

嬰兒信箱成立於五月十日。每年到了這段期間，慈惠醫院都會召開記者會，要求日本政府加強從產前到產後的長期諮詢體系。

院方不僅收容了許多來自其他縣市的孩童，連諮詢熱線接到的九成電話都來自外地。因此持續呼籲必須成立評鑑會議建議的「兼具諮詢窗口與緊急對應的設施」。

「母親和孩子極有可能在前來熊本的路上便失去生命，所以應當全國廣設『救命設施』，照顧這些陷入窮途末路的母親，以免悲劇發生。」

日本政府的回應是推動各地地方政府建立諮詢窗口等支援體系，卻未曾表示有意建立暫時收容母親與兒童的庇護所。

展開「棄兒專案」

本節進一步深入介紹德國援助婦幼的制度。

日本嬰兒信箱源自德國的「嬰兒之門」，該設施成立於一九九九年。當時德國北部都市漢堡（**Hamburg**）發生一起棄嬰事件——有人把四名嬰兒裝在瓦楞紙箱裡遺棄，其中三人死亡，帶給社會強烈衝擊。

在漢堡經營幼稚園與托兒所的民間組織「史坦尼帕克（**SterniPark**）」認為不可輕忽此事，於是在一九九九年十二月展開「棄兒專案（**Projekt-Findelbaby**）」，援助意外懷孕與煩惱於生育問題的女性。史坦尼帕克的老闆不僅成立二十四小時諮詢熱線，並且協助女性「匿名生產」。這是德國第一次出現匿名生產。

匿名生產正如其名，孕婦無須告知姓名或住處等所有個人資料，即可在醫療院所生產。這個作法的目的是，預防基於各種原因而「不想讓人知道」自己懷孕的女性，在不曾接受產檢的情況下於家中分娩，或是遺棄剛出生的嬰兒。

專業輔導員在懷孕期間會陪伴孕婦，生產時也會一同前往醫療院所。倘若當事人提出要求，也能在產前入住「母子中途之家」，產後有八週時間考慮要親手撫養或是出養。這段期間嬰兒暫時交給寄養家庭，母親休養身心的同時接受社福協助，討論今後如何生活。

倘若母親決定把孩子交給其他家庭，馬上著手出養手續，由公家的媒合組織向母親詳細說明孩子之後的人生，同時執行手續。

倘若母親在這個階段改變想法，決定要親自撫養，也會繼續給予援助。例如母子可以一同住在中途之家。從生產、諮詢到育兒，全部免費。

另一方面，部分輿論批評匿名生產意味著孕婦與其伴侶並未通報出生就把小孩交給醫院，有違法之嫌。然而現在德國各地的醫療院所都把匿名生產視為拯救母子的手段之一，不僅多數醫院接受，部分醫院甚至減免生產費用。

德國的嬰兒信箱普及全國各地

史坦尼帕克除了推出「棄兒專案」，還在二〇〇〇年四月成立了世界上第一個可以匿名託付兒童的嬰兒信箱。目的是保護兒童的生命，避免女性由於懷孕生育煩惱，最後對親生子女痛下殺手或是遺棄。

第一個嬰兒信箱位於史坦尼帕克開設的幼稚園一隅，五月時又在漢堡其他地區成立第二所。

打開小小的門扇，溫度適中的保溫箱映入眼簾，裡面還有一封寫給父母的信。父母可以在這裡印下孩子的指紋或腳紋，以便日後想領回時確認身分。慈惠醫院便是模仿這套模式。

嬰兒信箱的門是自動鎖，關上了便無法打開。工作人員透過安裝在保溫箱上的攝影機所拍攝的影像確認是否有人送來嬰兒，一發現嬰兒便會立刻通知附近合作的醫療院所。

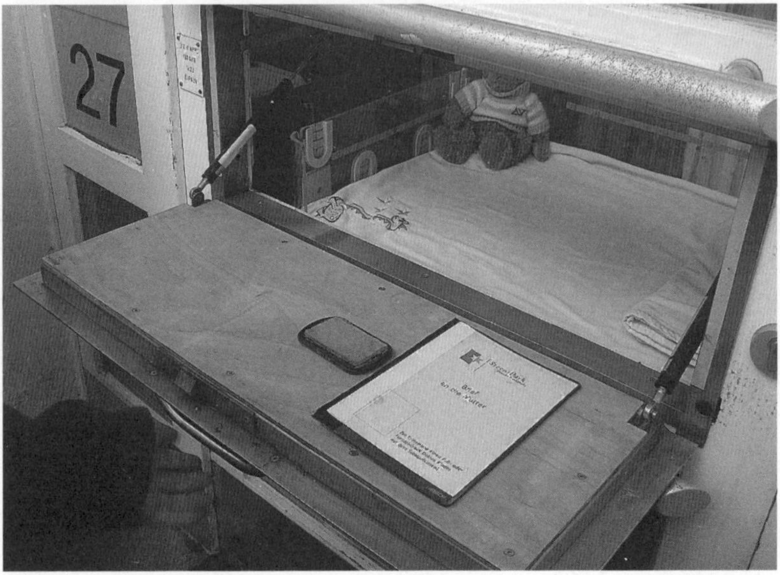
打開嬰兒信箱的門扇會看到一張小床／柏木恭典提供

嬰兒信箱內部有許多確保孩童安全的設備／柏木恭典提供

媒體煽情報導嬰兒信箱，引來眾人矚目。大多數民眾視其為拯救兒童生命的最後手段，歡迎者眾，批判者少。

此類援助婦幼的行動沒多久便普及至德國各地，許多地方都成立了相同的設施。多半位於醫療院所、教會、幼稚園、托兒所以及兒少家園，地點從大都市到鄉下住宅區的一隅，應有盡有。

儘管缺乏明確法律規範，有些地方政府的兒童諮詢所也自行成立嬰兒信箱。另一方面，有些嬰兒信箱從未派上用場便關閉了。根據德國政府調查統計，二〇一六年時實際營運中的嬰兒信箱共九十三處。

奧地利與瑞士等德國周邊的國家也開始出現嬰兒信箱，最後甚至跨過大海，普及至日本、中國、韓國、美國與南非等世界各地。

德國雖然是發源地，當地至今對於嬰兒信箱的評價仍舊是毀譽參半。這些設施是由民間團體靠民眾捐款營運，而非中央或地方政府撥款補助。

然而史坦尼帕克開設嬰兒信箱促進輿論熱議，眾人一同思考何種作法對母親與兒童最好，該如何打造適合所有人生活的環境，進而深入討論倫理道德觀念與理想的制度等等。

慈惠醫院成立嬰兒信箱卻不曾引發日本民眾進一步討論，或許是因為兩國文化以及看待倫理、宗教的心態不同吧！

推廣「中止妊娠諮詢」

史坦尼帕克之所以推出「棄兒專案」，不僅是因為當時漢堡陸續發生棄兒事件，也深受德國長年以來關於人工流產的輿論影響。

德國是基督教國家，一八〇〇年代完全禁止人工流產。進入一九七〇年代，主張人工流產是女性權利的聲浪高漲，引起正反雙方激烈辯論。最後於一九七四年立法規定懷孕三個月（未滿十二週）以內可以人工流產。

一九九〇年代則是認為應當優先「保護母親腹中的新生命」，減少人工流產件數，將不分理由皆可人工流產改為符合一定條件者方能接受手術。

其中一項條件便是「向專家商量」。

該如何援助因為懷孕而獨自煩惱，不知該如何是好的女性呢？又該如何保護女性肚子裡的小生命呢？

德國反覆討論如何處理人工流產問題後，做出的結論是於一九九二年制定新法《中止妊娠諮詢法》，新法成立促成援助這些女性的體系普及。

首先是在各地成立名為「中止妊娠諮詢機構」的諮詢窗口，由社工人員等專家提供免費諮詢服務，苦於意外懷孕的女性都能前往窗口諮詢。目的是協助女性在醫療院所安全生產，從產前到產後提供長期不間斷的援助。

目前德國有一千五百處諮詢窗口，由政府認可的民間組織等負責營運。

德國法律規定想要人工流產的孕婦有義務向窗口諮詢。在諮詢機構與社工等專業諮商人員諮詢過後，取得名為「諮詢證明書」的文件。唯有取得文件的女性才能接受人工流產手術。日本的作法是未成年者必須取得監護人同意，成年人則是符合一定條件者，由本人簽署同意書交給醫師，即可接受人工流產手術。

另外，由於強暴而懷孕、懷孕或生產可能危及孕婦生命或是精神狀態因此惡化者，在取得當事人同意後，無須諮詢證明書亦可接受人工流產手術。

諮詢窗口陪伴想要接受人工流產手術的孕婦，一起思考是否有墮胎以外的選擇，並且告知產後可以取得的各類援助。諮詢時孕婦與其伴侶可以選擇匿名，無須暴露身分。由於法律規定孕婦有義務諮詢，原本慌亂不知所措的人也因此冷靜下來，停下腳步思考墮胎以外的選項，也就是倘若選擇生下來，之後的人生該如何安排。

另一方面，不少孕婦不願意主動吐露自己的狀況。儘管理性明白在醫療院所生產才安全，對於公家機關還是抱持懷疑的態度或是不安，擔心遭到輔導員責備批判，最後逃避產檢，冒著風險在自家等處生下孩子。

究竟該如何拯救這些社福安全網接不住的女性與來到這個世界的新生命呢？德國持續摸索援助這些母親與兒童的新方法。

生還是不生？支持女性的選擇

採訪團隊於二〇一四年造訪德國杜塞道夫（Düsseldorf）的中止妊娠諮詢機構，諮詢機構位於市中心的大樓一隅。我們按下對講機，機構負責人克拉瑪．伊萊奇（Bärbel Cramer-Ihrac）笑瞇瞇地前來迎接我們。

「歡迎大家從日本遠道前來。」

她打完招呼便帶領我們參觀諮詢機構。

機構大廳寬敞明亮，裡面有一處兒童遊戲區，擺滿了玩具與繪本等等。辦公室處處是色彩豐富的掛飾與地毯，還擺了品味良好，坐起來又舒適的沙發。輔導員人手一杯咖啡，談天說笑。

這間諮詢機構共有四名受過專業訓練的輔導員，分別是社工或是心理諮詢師等專業人士，年齡橫跨二十到五十多歲。無論前來諮詢的對象是男是女，大家都準備好對應所有問題。整體氣氛一點也不像是要聆聽孕婦傾訴嚴重問題。

當天造訪機構的是一名三十多歲的女性。她曾經因為產檢發現胎兒患有重度障礙，前來機構諮詢是否該生下孩子。

女子回憶當時的情況：「我和丈夫無法輕易決定究竟該生還是不該生，煩惱了好久。」

她前來機構多次，和輔導員一起花時間思考倘若選擇生下，孩子必須接受哪些治療，又該如何安排自己之後的人生。

「只要我有需要，輔導員便會一直陪伴我，提供諮詢。當時他們詳細說明倘若生了能夠獲得哪些援助，不生又可能背負哪些心傷，又有哪些支援能夠撫平心傷。輔導員幫了我很大的忙。」

最後她選擇人工流產，手術之後仍舊經常造訪諮詢機構，與輔導員保持良好關係，聊聊工作、家人與日常生活。

伊萊奇在採訪時凝視我的雙眸表示：

「我們必須與孕婦、家屬充分討論所有可能性。然而最重要的還是當事人明白生或不生分別代表何種意義，以及負起身為母親的責任，自行決定該如何對待肚子裡的胎兒。」

德國的醫學倫理委員會副主席約亨．陶皮茲（Jochen Taupitz）接受採訪時表示：「決定生或不生是女性的權利。但是兒童的生命和女性權利一樣重要。因此國家必須提供完整的醫療資源、援助資訊與細膩貼心的支援，好讓孕婦與家屬能夠充分考量後再行決定。」

打造多元化支援體系

「中止妊娠諮詢機構」必須與醫療院所攜手合作才能提供足夠的協助。這是因為機構面對的不僅是從未做過產檢，臨盆之際才前來醫院的孕婦，還包括許多連前往諮詢機構，說出煩惱都有困難的女性。

杜塞道夫的中止妊娠諮詢機構和婦產科診所位於同一層樓，伊萊奇接受採訪時，經常有醫師前來尋求她協助。

「現在診所來了一位孕婦，她不知道該不該生下孩子，已經煩惱到崩潰邊緣，可以請你們跟她聊一聊嗎？」

她一聽到醫師這麼說，二話不說，立刻回答：「當然可以，請馬上帶她過來。」

生產一事攸關母子性命，所以諮詢機構一定會與醫療院所合作。不僅是這裡，每一間諮詢機構的輔導員與醫師都會分享資訊，配合孕婦當下的狀態採取行動。如同前文所述，諮詢機構提供免費諮詢服務，而且不限次數。諮詢時也無須報上姓名。並且由政府撥款補助，為手頭拮据的孕婦支付生產費用。倘若女性提出要求，無論是產前還是產後，諮詢機構都能安排她們入住同時收容母親與兒童的中途之家。

「處於緊急狀態的女性需要近在身邊的諮詢機構，讓她們能夠傾訴內心的煩惱。就算剛來時隱瞞身分，花時間陪伴她們，有些人久而久之也願意告訴我們姓名。她們需要的不僅是單次的援助，而是長期多元的支援，幫助她們繼續走下去以及保護孩子的生命和人生。」

伊萊奇告訴我們：

「嬰兒信箱是暫時保護孩童的重要緊急設施。但保障孩童的生命無法馬上連結到援助這些放棄養育子女的父母。所以第一步是希望她們前來身邊的諮詢機構求助，許多問題往往來到諮詢機構便能解決。」

當我們告訴伊萊奇和其他輔導員，日本的嬰兒信箱是由一家民間醫院獨力承擔來自全國的孩童與諮詢時，每個人都大吃一驚：

「在德國，政府、專家學者和民間援助團體等，所有社會的一分子都參與討論，反覆對話的共同結果是建立援助婦幼的三大支柱：中止妊娠諮詢機構、匿名生產與普及全國的嬰兒信箱。有需要的女性可以依照自己的情況挑選合適的選項。但目前的作法不是終點，我們總是不時摸索何謂最好的辦法。」

打造配合母親與兒童的體系

如同前文所述，德國給予放棄養育孩子的父母八週的寬限期間。放棄養育的情況包括把孩子送到嬰兒信箱、在醫療院所匿名生產或是因為難以親手撫養等問題，而把孩子託付給兒童諮詢所等兒童福利機構。這些父母在這段期間思考自己是否真的沒辦法養育孩子了。

兒童在這段期間則是交給寄養家庭照顧。倘若家長八週後沒來領回孩子，視為放棄親權，開始執行出養手續。儘早把孩子交給新家庭，才不會影響日後發育成長。

如同第三章所述，日本傾向重視親權，兒童往往因此長期滯留嬰兒之家等設施。另一方面，德國的作法是不長期安置於機構，而是交給寄養家庭、收養家庭或是當家長提出要求時，交由家長領回。理由是減輕兒童的負擔與考量其未來。

德國約有一百處嬰兒信箱，至今收容了四百多名兒童。匿名生產的孕婦多達六百人以上。

以發源地漢堡為例，史坦尼帕克所營運的嬰兒信箱從二〇〇〇～二〇一四年之間收容了四十六名兒童。

史坦尼帕克收容約一個月後，會請當地報紙報導收容的兒童並刊登照片。或許是受此影響，每三人當中便有一名家長出面領回孩子。

家長把孩子領回之後，諮詢機構和支援組織會繼續長期援助母親與兒童。倘若事後發現決定放棄養育子女的家長身分，也會配合當事人需求，提供關於日後人生的諮詢輔導。

千葉經濟大學短期大學部副教授柏木恭典表示：「德國為了拯救這些身陷緊急困境的女性，使出各類『王牌手段』，反覆嘗試才形成目前的制度。他們不受既有的制度與概念束縛，第一線人員都秉持『有需要就做』的心態。他們認為必須隨時隨地對需要的人提供行政單位的援助、民間團體的諮詢窗口與最後的退路『嬰兒信箱』。」

日本只有一處嬰兒信箱，收容了一百名以上的兒童。日本政府近年來修法要在全國普設諮詢窗口，計畫從懷孕到育兒期間，提供長期不間斷的援助。可是這樣做真的就夠了嗎？

日本社會存在不知所措的孕婦與父母，無時無刻不面臨關於懷孕生育的煩惱。然而僅有少數地區成立諮詢窗口，諮詢時間也受到限制；地方政府公務員又得應付各種業務，每天忙得焦頭爛額。要求他們一年三百六十五天，一天二十四小時陪伴孕婦是不可能的事。

目前輿論都聚焦於兒童受虐事件層出不窮，卻沒有人深入探討「中止妊娠諮詢」、匿名生產、援助母親與兒童的庇護所等更進一步的社福制度。

報導的標題是「如此燦爛的小太陽來到嬰兒信箱」／柏木恭典提供

關心慈惠醫院與各地民間團體自行舉辦的支援孕婦與婦幼的活動，思考該如何協助這些行政安全網接不住的人——為了日本的將來，現在是我們認真正視這些問題的時候了。

政府介入的方式不同

如同前文所述，日本政府對於嬰兒信箱一貫採取「這不過是一家民間醫院自行成立的設施，與我無關」的態度。

反觀德國，強調嬰兒信箱是「最後手段」，有其必要性的聲浪雖然較高，批評這是「合法遺棄兒童」的聲音卻也不曾消失。法源根據問題至今尚未解決。

雙方各自有其課題待解決，最大的差異在於「政府介入的方式」。德方成立嬰兒信箱的負責人、社福與教育專家等眾多相關人士，長年以來邀請政府與民眾一同討論：如何長期援助需要幫助的母親與兒童，準備各類取代嬰兒信箱的辦法，至今依舊繼續摸索最合適的對策。

然而日本社會卻不曾熱烈討論如何站在婦幼的角度制定支援政策，政府則是一昧強調：「有需要的人請向公家機關的窗口諮詢。」

德國政府製作的海報，呼籲女性使用諮詢服務。
海報張貼在車站的公共廁所等處。

終章　如何保護兒童的生命？

從評鑑報告看得出專家的用心

嬰兒信箱於二〇一七年五月成立十週年。相信許多人原本已經淡忘嬰兒信箱，是看到報章雜誌與電視媒體報導才又喚起了記憶。

十年來，嬰兒信箱一共收容了一百三十名兒童（圖表5-1）。

同年九月，熊本市政府成立的專家委員會公布《「送子鳥搖籃」第四期評鑑報告》，從各種角度分析一百零四件查明身分的案例。

負責評鑑營運情況的委員共有五人，分別是擔任委員會主席的關西大學教授山縣文治、律師國宗直子、熊本大學醫學院附屬醫院小兒科醫師三淵浩、熊本縣養護協議會會長上村宏淵、服部心身精神診所院長服部綾子。

圖表 5-1　收容的兒童人數　　（單位：件）

	第 1 期	第 2 期	第 3 期	第 4 期	合計
收容件數	51	30	20	29	130
每月平均	1.76	1.25	0.67	0.81	1.12

報告為 A4 大小，厚達七十三頁。內容詳細敘述嬰兒信箱成立的經過，便於初次閱讀報告的人了解來龍去脈。一字一句都散發委員會對於兒童的關懷，不是單純填滿資訊或數據。

然而把孩子送到嬰兒信箱的家長當下明明不曾自報身分，怎麼會知道當時的情況或父母面臨的問題等背景呢？這些資訊是來自與孩子一同留下的信件，院方接觸把孩子帶來嬰兒信箱的家長或是日後家長出面等等。

這十年來，有些情況沒有太大的變化，卻也有每一期各自的特徵。

以送往嬰兒信箱的理由為例，第二期之後以「生活拮据」居冠，到了第四期甚至增加至 41.4%。「由於家長（包括祖父母）等人反對」在第一期不過 2%，到了第四期卻增加至 20.7%。「對育兒感到不安、負擔」在第三期是零，到了第四期增加至 17.2%（圖表 5-2）。

身心障礙兒童的案例件數在第一期為五件，第二期到第四期則每期各三件。

此外，兒童的健康狀態在第一期是 92.2% 的孩子很健康，到了第四期卻有百分之 48.3% 的孩子「需要治療」，約莫占了一半（圖表 5-3）。

兒童的健康狀態下滑起因於「孤立生產」。第一期約十六件案例

圖表 5-2　把孩子送到嬰兒信箱的理由　　（單位：件、%）

	第 1 期		第 2 期		第 3 期		第 4 期		合計	
細項	件數	比例	件數	比例	件數	比例	件數	比例	件數	比例
生活拮据	7	13.7	9	30.0	6	30.0	12	41.4	34	26.2
家長等人反對	1	2.0	2	6.7	1	5.0	6	20.7	10	7.7
未婚	3	5.9	9	30.0	6	30.0	9	31.0	27	20.8
外遇	5	9.8	4	13.3	4	20.0	4	13.8	17	13.1
社會觀感與戶籍	11	21.6	6	20.0	1	5.0	7	24.1	25	19.2
伴侶的問題	2	3.9	6	20.0	4	20.0	10	34.5	22	16.9
拒絕撫養	2	3.9	2	6.7	2	10.0	4	13.8	10	7.7
對育兒感到不安、負擔	–	–	–	–	0	0.0	5	17.2	5	3.8
其他	6	11.8	5	16.7	1	5.0	3	10.3	15	11.5
不明	14	27.5	4	13.3	8	40.0	7	24.1	33	25.4
合計	51	100.0	47	–	33	–	67	–	198	–

圖表 5-3　兒童的健康狀態　　（單位：件、%）

	第 1 期		第 2 期		第 3 期		第 4 期		合計	
細項	件數	比例	件數	比例	件數	比例	件數	比例	件數	比例
健康	47	92.2	28	93.3	11	55.0	15	51.7	101	77.7
需要治療	4	7.8	2	6.7	9	45.0	14	48.3	29	22.3
合計	51	100.0	30	100.0	20	100.0	29	100.0	130	100.0

（31.4%）是孤立生產，到了第四期卻大幅增加到二十五件（86.2%）。慈惠醫院雖然盡力宣傳孤立生產的風險，卻不可輕忽現實情況不曾因為衛教而改善。

報告中同時指出孤立生產不僅「危害母子生命」，「生產時沒有專家陪同，等於『虐待』，相關機構掌握情況者應通報地方政府」，首次嚴厲指責「孤立生產＝虐待」。

開設十年的綜合評價

報告第五章從兒童的人權角度檢討嬰兒信箱，以下為評價概要：

第一點從「兒童知其父母的權利」的角度評鑑，強烈主張兒童具有獨立人格與尊嚴，應當避免身分不明的事態發生。

第二點從「保障生命與身體安全」的角度評鑑，提及目前孤立生產的比例大幅增加，因此嬰兒信箱並未確保兒童的生命與身體安全。

第三點從「是否助長遺棄風潮」的角度評鑑，列舉部分案例視匿名遺棄為方便，降低棄兒門檻。尤其是家長需要時間才能接納孩子患有障礙，嬰兒信箱出現可能導致家長因此輕易遺棄身心障礙兒童。

第四點從「送子鳥搖籃採取匿名制」的角度評鑑，贊成匿名制在緊急避難與促使有需求者鼓起勇氣求助兩方面發揮作用，同時強調基於保障兒童人權與完整的撫養環境，不可容忍慈惠醫院堅持匿名制的作法。

最後值得矚目的是「開設十年的綜合評價」：

評鑑結果無法證明送子鳥搖籃是否直接拯救了兒童的生命。另一方面，送子鳥搖籃成立十年以來，設施本身依舊存在各式各樣的課題有待克服。

專家委員會這十年來多次檢討嬰兒信箱，向慈惠醫院、日本政府與社會提出各種角度的建議。然而究竟還要花上多少年才能解決這些「各式各樣的課題」呢？

想要消弭身分不明的孩子

專家委員會屢次指謫嬰兒信箱的課題之一「匿名性」：「『知其父母』是兒童的權利之一，保障兒童人權應當避免出現此類無法查明兒童身分的情況」。慈惠醫院則每每拒絕委員會的要求，表示「我們絕對不會取消匿名制」。

理事長蓮田對此十分憤慨：

「有些人把嬰兒信箱當作最後退路，專家委員會完全不懂這些母親是多麼害怕遭人發現。」

醫院與嬰兒信箱旁邊的看板和寫給家長的信裡都再三呼籲家長把孩子放進嬰兒信箱前先向他們諮詢。然而截至二〇一七年度底還是有二十六名兒童「身分不明」，占整體人數的二成。

熊本市兒童諮詢所的相關人士接受採訪時表示：「大家常常說『至少查明了一百零四人的身分，已經很好了』，為了這一百三十名兒童的將來，我們應當查明所有人的來歷，確認他們的生父母究竟是誰，而不是自滿於找到一百零四人的生父母。」

兒童福利專家山縣文治強調：「有些人認為只要在寄養家庭或是收養家庭生活得幸福快樂，就算不知道生父母也不會對孩子有所影響。比起勉強由生父母撫養，有些孩子到了新家庭或許比較幸福。然而在新家庭快樂成長一事不應該阻撓兒童『知其父母的權利』。」

「知其父母的權利」意指所有孩子都有知道生父母的權利，聯合國的《兒童權利公約》也將此權利明記於條文之中，日本於一九九四年批准通過落實該公約。[8]

「優先保障兒童權利也是當前的世界潮流。」

前文提到的教育學專家山下雅彥指出嬰兒信箱的缺點：

「嬰兒信箱收容的孩子總有一天會尋找自我，面對自己的過去。當他們發現『原來我不知道生父母是誰』時，無論在新的家庭過得多麼幸福，還是可能因為遭到遺棄一事而否定自我。」

這些孩子完全失去尋找生父母的手段，將來該如何面對自我呢？至於

8 譯注：台灣於二〇一四年制定《兒童權利公約施行法》落實該公約。

把孩子放進嬰兒信箱，關上門扇後離開的「匿名」父母又有誰來守護、援助他們呢？直到現在，匿名制的相關課題還是找不到解決的線索。

保護母親與兒童的「祕密生產制度」

在匿名制帶來的問題尚未解決之際，慈惠醫院於二〇一七年十二月公布要引進新的制度——「祕密生產」。

制度內容正如其名，孕婦無須告知身分也能在醫療院所生產。德國在二〇一四年立法通過這項制度。

祕密生產制度有二大特徵：一是配合意外或非自願懷孕的女性，無法坦承或是不想讓人知道自己懷孕，接受她們渴望匿名生產的要求。前往醫療院所生產時無須告知身分。另一項特徵是孩子長大之後能夠得知生父母的身分。

德國執行的方式是孕婦告知諮詢機構其中一名輔導員自己的本名、生日、地址與生產的醫療院所。法律規定這些個人資料由德國政府嚴格保管。

等到孩子滿十六歲時倘若提出要求，可以調閱這些資料。

換句話說，這項制度是由國家同時保障女性安全生產與兒童「知其父母」的權利。女性只需要告知特定人士個人資料，無須擔心懷孕生子一事曝光。因此具備嬰兒信箱的優點——家長想要匿名的心態，卻又避開了嬰兒信箱的缺點——兒童喪失知其父母的權利。

從匿名制轉向實名制

德國原本就有匿名生產制度，也就是允許孕婦匿名在醫療院所生產，至於祕密生產制度則是經過反覆討論之後才正式立法通過。

討論時聚焦於兩項議題，一是如何保障兒童知其父母的權利，二是除了匿名生產之外是否還有其他選項？

由此可知，祕密生產制度是用來解決匿名生產所帶來的問題。

根據德國行政機關「德國聯邦家庭事務、老年、婦女及青年部（Bundesministerium für Familie, Senioren, Frauen und Jugend）」統計，

自從祕密生產制度在二〇一四年立法通過之後，二〇一四～二〇一七年的三年之間，共有三百四十六名兒童是以祕密生產的方式出生。國家全額支付生產費用，並且免費提供生產前後需要的援助。

苦於懷孕生育的婦女除了既有的嬰兒信箱與匿名生產制度，又多了一個選項「祕密生產制度」。德國政府分析女性使用這些制度的情況，摸索究竟哪一個辦法最能幫助這些母親與兒童。

引進制度需要進一步討論

慈惠醫院已經開始討論要如何學習德國，引進這套祕密生產制度，卻遇上現行法律阻礙。最大的問題在於如何為兒童報戶口。

如同前文所述，放入嬰兒信箱的嬰兒視為棄嬰，由熊本市政府為嬰兒設戶籍，不知道姓名的嬰兒由熊本市長代為命名。

然而現行法規規定通報子女出生是父母的義務。儘管只有部分相關人士知道母親的身分，依舊代表市政府不得視兒童為棄嬰，代為報戶口。因此在不修法的情況下引進祕密生產制度，可能導致兒童沒有戶籍，也無法保護母親的隱私。

德國為了合法化祕密生產制度，連帶修正了戶籍制度。以祕密生產的方式出生的兒童還是可以取得國籍與戶籍，在進行居民登記時向諮詢機構與醫療院所提出出生證明，兒童的姓名欄填寫母親為孩子取的名字。在完成這項手續之前，母親一欄都標示「母不詳」。

另一個課題是「由誰來管理母親的個人資料」？

德國的作法是由第四章詳細介紹的「中止妊娠諮詢機構」作為祕密生產的諮詢窗口，將母親的姓名等個人資料送往中央政府的相關機關保管。十六年之後，兒童本人可以申請閱覽。唯一知道母親姓名的是諮詢機構的輔導人員，而負責接生的醫院、其他協助機構或是政府機關的窗口等人都只知道母親為自己取的「化名」。

日本能夠採取相同的作法嗎？該由哪個單位負責接收孕婦，又該由哪個行政機關負責管理母親的個人資料，以適當的方式提供兒童閱覽呢？這些都不是三兩下就能解決的問題。

慈惠醫院公開表示正在考慮引進祕密生產制度之後，在二〇一八年一月和熊本市政府協商討論是否可能在不修法的狀態下引進。市政府的與會人士在會議上表示「引進制度不是地方政府或醫院能夠自行處理的事，還需要中央政府修法協助」，顯示在現行法規之下窒礙難行。為了解決這個問題，熊本市政府目前正在推動厚生勞動省制定包含祕密生產等支援婦幼的相關社會福利政策。

熟悉德國婦幼相關社會福利政策的柏木恭典表示：「祕密生產制度解決嬰兒信箱的缺點，最能幫助走投無路的孕婦。德國之所以具備充分的生育相關社會福利，在於全方面討論所有和母親、兒童生命相關的問題，例如墮胎、棄兒、虐待與虐待致死、孤立生產、無戶籍兒童等等。相較之下，日本就連如何保障母親與兒童的生命都尚未充分對話討論，目前最迫切的課題可說是立法保障兒童幸福生活的權利。」

另一方面，韓國也有類似嬰兒信箱的設施，名為「嬰兒箱」，一共有二處。在韓國崇實大學任教的盧惠璉教授是社會福利專家，對於引進祕密生產制度抱持保留態度：「德國對女性提供充足的社會福利，祕密生產制度只是眾多選項之一。許多婦女向窗口諮詢之後，選擇生下孩子，當單親媽媽。然而日韓兩國缺乏相關社會福利制度，無法協助陷入困境的孕婦解決問題。貿然引進祕密生產制度，只會促使她們一面倒地選擇祕密生產」。

單親媽媽往往受到社會大眾歧視，經濟拮据。她呼籲應當先行解決單親媽媽面臨的問題，提供充分的社會福利，而非急著引進祕密生產制度。

會出現新的嬰兒信箱嗎？

暨全國唯一的嬰兒信箱之後，二〇一七年二月傳出助產士等人組成的團體有意成立相同的設施，目標是要在神戶市的嗎哪（Manna）助產院[9]開設嬰兒信箱。這是因為慈惠醫院陸續接到來自關西地區的諮詢電話與兒童。

神戶市政府負責發放開設許可，對於成立嬰兒信箱一事採取謹慎態度：「嬰兒信箱收容的嬰兒可能需要治療。但是助產士不得執行醫療行為，必須有醫師常駐」。

該團體最後由於無法確定何時能請來醫師二十四小時常駐，選擇暫時放棄開設嬰兒信箱。今後的目標是成立「面談型」的設施，由助產院輔導前來諮詢的父母後收容兒童，媒合寄養家庭或收養家庭。因此於二〇一八

9 譯注：依據助產院網頁說明，「Manna」意為來自上帝恩賜的食物。所以選擇譯為「嗎哪」二字。https://mana-mh.com/clinic

年二月開設諮詢專線，因為懷孕生育煩惱的父母皆可撥打。今後希望能像慈惠醫院，提供全年無休、二十四小時的熱線服務。

助產士團體的理事長京都大學榮譽教授人見滋樹表示：「我們推動這個活動的目的是減少人工流產或嬰兒遭到遺棄，保護生命不應該猶豫不決，必須積極踏出第一步。」

串聯醫療與社福的推手

德國政府為了建立援助婦幼的制度，修改了許多法律。日本則是民間出現許多代替嬰兒信箱的援助方式，神戶市的助產院便是一例。

日本全國的婦產科醫師也在二〇一三年成立理事會，因應意外懷孕的女性需求，協助她們出養孩子。

這個由多名醫師組成的組織，是由埼玉縣熊本市的鮫島親子連結診所的院長鮫島浩二領頭。鮫島三十年來援助遭遇性暴力而懷孕或是經濟陷入困境而無法養育子女的孕婦等人，配合父母的意願，協助出養。

他認為應當優先思考的是如何讓孩子過上幸福生活。透過與這些走投無路的母親反覆討論，一同找出辦法來保護孕婦肚子裡的小生命，做出對於生下來的孩子而言最好的決定。

無論母親選擇親手養育或是下定決心出養，都會一路輔導到母親重新振作為止。除了鮫島之外，熊本市的福田醫院也展開此類串聯醫療與社福的援助，成為「日本接生最多嬰兒的醫院」。

「在父母選擇『嬰兒信箱』這個最後手段之前，難道沒有其他辦法可以幫助他們嗎？」

福田醫院理事長福田稠就近觀察同樣位於熊本的慈惠醫院。慈惠醫院成立嬰兒信箱之後，日本各地殺嬰或棄嬰事件卻依舊層出不窮。他因此對於慈惠醫院的作法抱持懷疑的態度。在此情況下，福田醫院加入鮫島成立的理事會，從二〇一三年起成為第一間媒合出養的醫療法人。

「由於母親意外懷孕而出生的兒童受到虐待等事件屢見不鮮，我們必須在孩子犧牲之前採取行動。」

加入鮫島、福田行列的婦產科醫院截至二〇一八年共有二十二間。由社工、護理師等專業諮商人員聆聽孕婦訴說煩惱，也提供匿名諮詢服務。為這些母親保密的同時，協助她們在醫療院所安心生產，從產前援助到產後。倘若母親決定出養，則會安排聯絡全國六處負責媒合收養家庭的醫療院所。

收養的條件十分嚴格，例如必須是地方政府認定，登記有案的寄養家庭等等；媒合組織不收取任何捐款，並且詳細記錄與保管生母的相關資訊與媒合的經過。孩子長大後若是提出要求，可以閱覽這些紀錄。

截至二〇一八年三月，一共媒合了五十五名兒童與收養家庭。

福田堅信：「有些援助正因為我們是婦產科醫師才作得到。倘若串聯醫療與社福的網絡普及至全國各地，就能在兒童遭到遺棄或虐待之前，拯救寶貴的性命，帶領他們邁向幸福人生。」

看不見孩子日後發展

前文提及的兒童福利專家西澤哲認為對於嬰兒信箱收容過的兒童，目前相關機構的事後追蹤關懷不足。

採訪團隊在二〇一五年請求全國兒童諮詢所回應關於嬰兒信箱的問卷調查。由於查明兒童的父母身分之後，會把案件從熊本市轉介至父母居住地的兒童諮詢所。我們藉由問卷調查這些兒童諮詢所對於嬰兒信箱收容過的兒童「進行了哪些援助？」

全國二百零八所兒童諮詢所當中只有八十五所回答問卷。回答率僅四成，實在稱不上高。

八十五所兒童諮詢所中有九所曾經追蹤嬰兒信箱收容過的兒童，人數共十一人。

問卷截止時的統計結果顯示：安置於嬰兒之家等設施者二人，委託寄養家庭者二人，出養成為養子者三人。最常見的情況是由原本的父母領回撫養，共四人。

從調查結果可知部分兒童諮詢所視這些孩童為「特殊案例」，謹慎對待，與母親保持良好的關係，一路追蹤到兒童上小學為止。

另一方面，部分案例則是觀察一段時間後「判斷沒有問題」便停止追蹤，或是「由於父母拒絕」而放棄訪視。

兒童諮詢所對於這些親子採取的作法是「和虐兒等案例相同，當家長前來尋求協助或是學校告知等發生問題時，重新予以援助」。

然而曾經把孩子送到嬰兒信箱的家長，難道有了孩子就會積極主動尋找相關行政單位諮詢嗎？等到發生事情了再關心，會不會太晚了呢？有待解決的課題堆積如山。

如同第二章列舉的案例，過去曾經發生孩子回到父母身邊，最後卻發生母親帶著孩子自殺的慘劇。倘若行政單位或是鄰里用心守護這對母子，或許這兩條寶貴的性命就不會消失了。

只有起點增加了選項

評鑑報告對於查明身分的案例，分析父母的年齡、理由與生產情況等等，卻並未進一步掌握兒童之後的情況。慈惠醫院、地方政府與兒童諮詢所等相關機構不曾共享關於兒童的資訊。

採訪團隊在節目中介紹當年嬰兒信箱收容的少年小翼（參考序章）的成長情況之後，收到慈惠醫院的感想：「看到當年收容的孩子在寄養家庭過著幸福快樂的生活，我們也放下心中一塊大石頭。看到他的模樣，為我們帶來信心，相信團隊這十年來做的是對的。」

除非領回孩子的父母、寄養家庭、收養家庭或是安置機構主動聯絡，否則院方不會知道「孩子後續的狀況」。

他們生活的環境是否能確保孩子健康茁壯，是否由特定的成人滿懷愛心照顧，又該如何面對當年嬰兒信箱收容的真相呢？這些兒童所面臨的問題不會因為來到嬰兒信箱便消失得無影無蹤，而是必須由其他成人保障他們獲得與其他孩子相同的福利。

西澤表示：「成立嬰兒信箱不過是多了一個拯救兒童生命的管道，收容之後的處理方式還是和過往一樣，非常粗糙隨便。」

他也指出當前的支援制度趕不上現況：「目前迫切需要的是建立社福制度，支援為了懷孕生育煩惱的女性以及保護肚子裡的孩子出生後的人生。日本政府必須主動調查來到嬰兒信箱的一百三十個兒童，分析他們的父母究竟處於何種環境、究竟需要什麼，提出具體的援助政策。否則無法打從根本保障兒童的生命。」

嬰兒信箱的新課題

成立十年以來，嬰兒信箱面臨了新的課題。

當初收容的孩子當中，有些人即將邁入青春期，也有人像序章中介紹的小翼一樣，已經是十幾歲的少年。嬰兒信箱收容的兒童會轉介到熊本縣的嬰兒之家。嬰兒之家的職員表示愈來愈多寄養家庭前來詢問：「究竟該何時向孩子說明真相呢？」

這些孩子將來可能會在結婚、申請護照或是繼承遺產等必須確認戶籍的場面發現自己平常叫爸爸媽媽的人「不是親生父母」。小孩從大人口中得知真相之前發覺自己是養子，可能導致之前建立起來的信賴關係瞬間瓦解。該名職員表示為了避免這樣的情況發生，他建議寄養家庭的父母要用心「告知真相」。

有些寄養家庭害怕讓孩子知道自己來自嬰兒信箱一事。該名職員認為與其一昧隱瞞，應當相信孩子，主動告知：

「反覆告訴孩子『你的生父母是因為很珍惜你才會把你送到嬰兒信箱，我們很高興能夠遇到你』，能夠促進孩子肯定自己，加深彼此的感情。」

究竟該什麼時候，又是以何種形式告訴孩子真相呢？

這或許是所有收養人必須面對的課題。尤其是從寄養發展到收養的家庭，在收養之後與原本負責支援的地方政府單位或民間組織不再聯絡。除非主動求助，否則原先支援的單位也無法主動提供協助。

接受採訪的嬰兒之家職員表示：「現在是該認真思考如何告訴孩子真

相的時候，我認為這些寄養家庭需要機會一起來討論何種告知方式適合嬰兒信箱收容的孩子。這也是為了孩子的將來好。」

另一方面，慈惠醫院副院長蓮田健表示：「不少案例是因為強暴或是賣春而懷孕，保障孩子知道親生父母的權利不見得一定對孩子有益。相關機構必須討論如何協助這些來到嬰兒信箱的孩子，克服過去以及收容之後的對應。」

充實兒童福利

儘管這些透過善意與熱情建立的婦幼援助體系逐漸普及，為了懷孕生育苦惱的人卻並未就此消失。

政府宣布要「正視人口減少與老化問題」，推出「一億人口總活躍計畫」，從各種角度討論對策，制定實現計畫的時程。目標是提升出生率到「1.8%」。

倘若出生率遲遲無法提升，日本的未來的確岌岌可危。但是難道只要女人生了小孩就能解決問題嗎？難道都不用管生下來的小孩是否幸福，也不用支援負責養育這些孩子的父母嗎？

「送子鳥搖籃專家委員會」成員山縣文治長期以來觀察日本兒童福利的發展，表示當前的制度完全無法保護兒童福利：

「分析嬰兒信箱的每一個案例便能了解父母使用嬰兒信箱的理由與兒童日後的發展。當初開設嬰兒信箱的理由是希望拯救兒童不再因為受虐而喪命。然而這十年來，情況未曾好轉。相較於整個日本，來到嬰兒信箱的孩子不過是冰山的一角。一想到還有許多孩子處於類似的環境，便不禁懷疑現在支援父母的制度真的沒有問題嗎？現在必須回到原點，由政府主導討論如何援助才是。」

國家制定的《兒童福利法》目的在於保障兒童健康成長。山縣卻表示目前政府執行的支援婦幼政策與嬰兒信箱等民間窗口，都並未充分考量兒童福利。

「《兒童福利法》的理念是保護兒童權利，所以事情不是到拯救兒童性命就結束了。更重要的是把命救回來之後能否保障兒童幸福。現在愈來愈多支援體系，整個社會卻從未細想究竟何者對兒童最為有利便貿然推動。

這是非常嚴重的問題。國家應當負起責任，積極採取行動。例如生父母無法撫養時，不是安排兒童棲身於安置機構，而是儘早找到合適的收養家庭；當出養的孩子想要知道生父母時，能夠儘快提供所需資訊；長期關懷出養兒童，就算收容後又由父母領回也要持續追蹤觀察。忽略理念的援助無法打從根本拯救兒童。」

嬰兒信箱提出的問題

二〇一七年五月，我們前往慈惠醫院採訪嬰兒送到嬰兒信箱時的演習。當天參加演習的助產士是名年輕女性，來到慈惠醫院才一年多。當收到嬰兒的警鈴響起之前，她在護理站旁邊的新生兒室照顧剛出生的小嬰兒。

兩個設施位於同一間醫院，一邊躺的是在眾人祝福下出生的新生兒，另一邊收容的卻是還沒充分感受到父母溫暖就遭到拋棄的小孩。助產士面對無計可施的無奈情景，小心翼翼抱起演習用的假嬰兒，吐露心聲：「看到躺在嬰兒信箱裡的嬰兒，心情很複雜。但是每個小孩都是重要的寶貝。」

我們這十年來追蹤嬰兒信箱的同時，也懷抱不知該向誰爆發的怒意。

——為什麼要拋棄自己的親生子女呢？

我們問了幾十次、幾百次，卻找不到明確的答案。

但是透過採訪發現嬰兒信箱也對我們投以無數的提問。倘若我們早日誠心面對這些問題，應該就能拯救更多生命、更多不幸的孩童。

二〇一八年三月，我在寫這篇稿子時，神奈川縣川崎市的公寓通道旁發現新生兒的屍體。三十六歲的母親承認自己棄屍，遭到逮捕。她在家中生產，失血過多而失去意識，醒過來時發現嬰兒已經沒有呼吸。我們該怎麼做才能挽回這條生命呢？

如同慈惠醫院院長蓮田的主張，首先是所有民眾都必須正視這個問題。無論有沒有小孩，無論從事何種工作，如何保護兒童生命都是社會大眾應當主動思考的問題。

國家究竟該如何保護這些既有的社會安全網接不住的人呢？難道不能

建立從產前到產後長期關懷女性的系統嗎？如此一來就能預防母親產後不知所措，結果虐待兒童或是導致兒童死亡的事件。

我們透過進行一連串與嬰兒信箱相關的採訪，發現必須採取以下的行動：

- 開設諮詢窗口，安排能夠給予正確建議的專家。
- 打從根本改變親權制度；建立新的寄養家庭與收養制度，發現兒童無法由生父母撫養時立刻交給寄養或收養家庭。
- 統一行政機關與民間媒合組織的規範，當出養的孩子想要知道父母身分時，能夠迅速提供所需資訊。
- 針對年輕人，尤其是男性，加強關於懷孕生育的教育。

小翼與嬰兒信箱

我們因為採訪而認識小翼一家人，採訪團隊之後也造訪了好幾次。每次養父母田中夫婦總是溫暖地迎接我們，親自下廚招待。我們圍繞同一張餐桌，聽小翼開心地分享學校與假日全家去遊樂園等日常生活。

聽起來或許很誇張，不過我回想第一次見到小翼時，心中湧現的想法是「謝謝你來到這個世上」。

我們「現在」能夠遇到小翼是由於許多大人用心守護這條生命。

當時嬰兒信箱保護了小翼，帶領他遇到現在的寄養家庭。今後嬰兒信箱也會陪伴他度過人生吧！

「我們想拯救兒童的生命。」

兩隻送子鳥背負眾人的心意，今天也默默待在醫院的角落守護孩子，努力達成使命。

結語

三一一大地震三年後的孟春，我因為NHK特輯《那一天誕生的生命》的採訪工作發現地震當天災區出生了一百名以上的新生兒。當悲傷籠罩全日本時，大多數新生兒的父母十分苦惱：「當地出現許多犧牲者，我沒辦法開開心心迎接新生命。」

我當時深深感到孩子無法挑選出生的地點、時間和父母。因此每一個新生兒的生命都一樣偉大。當天出生在災區的孩子和嬰兒信箱收容的孩子都應該獲得周遭的祝福、愛護與疼愛——本節目想向觀眾傳達這件事。

本書的出發點原本是電視節目，當時採訪團隊採訪的少年小翼遠比我們想像得堅強。

記者在採訪當天夜裡寄電子郵件通知我採訪平安結束，信裡還附上小翼第一次面對媒體表達的心聲。當我深夜看著逐字稿，不禁淚如雨下，一時停不下來。

「因為當年被送進嬰兒信箱，才會有現在的我。我想向對方說聲『謝謝』。」

一般人對於把自己送進嬰兒信箱的大人，說得出「謝謝」兩字嗎？小翼的這句話出乎我意料地沉重。

我們在製作節目的過程面對肆意妄為、拋下親生子女的父母懷抱滿腔怒意。然而小翼的心聲消弭了我們的怒氣，也刺激我們產生不同的想法：

「或許需要拯救的對象不只是小孩，還包括大人，甚至最需要拯救的其實是大人……」

相信所有人都認為「養不來就不要生」。然而社會上意外懷孕或生產的女性並不會因為這番冠冕堂皇的大道理而消失。保護兒童生命與未來的唯一辦法是社會大眾開始關心這個議題，大家一起來幫助懷孕生育的人。

本書由於篇幅關係，無法一一列出所有協助製作節目與出版書籍的各方大德，在此向大家致上由衷的謝意。

最重要的是我們想打從心底感謝小翼與小翼的家人，感謝他們鼓起勇氣接受採訪。如果沒有小翼的這番話，採訪團隊無法向社會大眾表達嬰兒信箱成立十年以來突顯的現況。我們想再次對小翼說：

「謝謝你來到這個世界。」

二〇一八年四月

NHK名古屋電視台報導部製作人板垣淑子

參考文獻

．菊田昇《也請讓這個孩子幸福　菊田醫生媒合收養嬰兒事件紀錄》
人類與歷史社　一九七八年
．柏木恭典《嬰兒信箱與陷入緊急困境的女性　尚未完成的婦幼援助專案》
北大路書房　二〇一三年
．蓮田太二、柏木恭典《凝視沒有名字的母子　日本的送子鳥搖籃　德國的嬰兒信箱》
北大路書房　二〇一六年
．熊本縣政府《送子鳥搖籃第一期評鑑報告》
．熊本市政府《送子鳥搖籃第二～第四期評鑑報告》
．厚生勞動省統計資料
．經濟合作暨發展組織統計資料

節目製作人員

NHK《今日焦點》
〈交付給「嬰兒信箱」的生命——百名嬰兒日後的人生〉（二〇一五年四月七日播放）

採　訪　山室　桃（報導局科學文化部記者）
導　播　熊谷百合子（報導局社會節目部導播）
製作統籌　坂垣淑子（報導局社會節目部製作人）
　　　　嶺　洋一（報導局社會節目部製作人）
　　　　名越章浩（報導局科學文化部主編室）

NHK《今日焦點＋》
〈生我的爸爸媽媽在哪裡？——嬰兒信箱的十年後〉（二〇一七年六月八日播放）

採　訪　山室　桃（報導局科學文化部記者）
　　　　本庄真衣（熊本電視台記者）
導　播　竹内遙（報導局社會節目部導播）
製作統籌　坂垣淑子（報導局社會節目部製作人）
　　　　戶來久雄（報導局科學文化部主編室）
　　　　鈴木貴行（熊本電視台主編室）

※頭銜為製作節目時的所屬部門。

執筆人員簡歷

山室　桃

一九七六年生，二〇〇七年進入NHK工作，目前擔任橫濱電視台播放部記者。從隸屬熊本電視台時一路參與「嬰兒信箱」的採訪活動。在報導局科學文化部負責醫療、文化與高科技等領域。主要參與的節目包括《今日焦點》的〈預防年輕人自殺——邊緣性人格障礙〉、〈引進非侵入性基因檢測一年後——如何援助關於生死的決定？〉；《今日焦點＋》的〈身心障礙人士的愛與性〉、〈坂本龍一　活在分裂的世界〉等等。

熊谷百合子

一九八三年生，二〇〇六年進入NHK工作，目前擔任札幌電視台播放部導播。原先任職於報導局社會節目部，剛進公司時隸屬福岡電視台，從當時持續參與「嬰兒信箱」的採訪活動。至今參與的節目包括《今日焦點》的〈來

自中國　跨越國界的PM 2.5〉、〈「活在當下」的言詞——詩人吉野弘的世界〉；《NHK特輯》的〈戰後七十年的日本——跨越戰後七十年——日本人能盡哪些心力？〉、〈若沖　嘗試解開天才畫家之謎〉等等。

竹內　遙

一九八五年生，二〇〇九年進入NHK工作，目前擔任報導局社會節目部導播。在「嬰兒信箱」即將成立十周年，也就是二〇一六年時參與採訪團隊。至今參與的節目包括《今日焦點》的〈新「故鄉」——新潟縣中越地震第十年的摸索〉；《今日焦點＋》的〈「隱形血汗企業」蔓延——貼身採訪特別對策班〉、〈震災後六年　不為人知的兒童心聲——「核電廠災民遭受霸凌」的實際情況〉等等。

NHK採訪團隊

由NHK的員工所組成的採訪團隊，十年來追蹤日本第一個嬰兒信箱「送子鳥搖籃」，持續向觀眾傳達設施情況。

二〇一五年四月播放的《今日焦點》是媒體首次接觸嬰兒信箱收容的兒

童，向全國觀眾介紹當年的小嬰兒已經長成十多歲的少年，實際收錄當事人的心聲，帶來強烈衝擊。

二〇一七年六月所播放的《今日焦點＋》則介紹嬰兒信箱的「現況」與面臨的課題。

國家圖書館出版品預行編目（CIP）資料

為什麼要拋棄我？——日本「嬰兒信箱」十年紀實　NHK 採訪團隊著 / 陳令嫻譯 .
-- 初版 . -- 臺北市：開學文化事業股份有限公司，2021.11　面；　公分 .
譯自：なぜ、わが子を棄てるのか「赤ちゃんポスト」10 年の真実
ISBN 978-986-99872-4-0（平裝）
1. 兒童福利 2. 社會問題 3. 嬰兒 4. 日本　　548.13　110014275

社會紀實 OG 001
為什麼要拋棄我？——日本「嬰兒信箱」十年紀實
なぜ、わが子を棄てるのか「赤ちゃんポスト」10 年の真実

作　　者　NHK 採訪團隊
譯　　者　陳令嫻
責任編輯　陳胤慧
封面插畫　Gami
美術設計　職日設計 Day & Days Design
發 行 人　顧忠華
營 運 長　許天祥
出　　版　開學文化事業股份有限公司
發行地址：100 臺北市中正區泉州街 9 號 3 樓
聯絡電話：(02) 2301-6364　傳真：(02) 2301-9641
讀者信箱：openlearningtw@gmail.com
粉絲專頁：https://www.facebook.com/openlearningtaiwan/

總 經 銷　紅螞蟻圖書有限公司
經銷地址：114 台北市內湖區舊宗路二段 121 巷 19 號
聯絡電話：02-2795-3656　傳真 02-2795-4100
服務信箱：red0511@ms51.hinet.net
排版印製　龍虎電腦排版股份有限公司

出版日期　2021 年 11 月 初版一刷
定　　價　370 元（如有缺頁或破損，請寄回更換）
書　　號　OG001
I S B N　978-986-99872-4-0